S0-AFB-393

Silvina Bullrich

CUANDO CAE EL TELÓN

DE LA MISMA AUTORA
por nuestro sello editorial

LA TERCERA VERSIÓN
GEORGE SAND
CARTA ABIERTA A LOS HIJOS
ENTRE MIS VEINTE Y TREINTA AÑOS
TELÉFONO OCUPADO
LOS PASAJEROS DEL JARDÍN
MAL DON
MIS MEMORIAS
SU EXCELENCIA ENVIÓ EL INFORME
TE ACORDARÁS DE TAORMINA
EL MUNDO QUE YO VI
LA AVENTURA INTERIOR
REUNIÓN DE DIRECTORIO
LOS DESPIADADOS
CALLES DE BUENOS AIRES
LA REDOMA DEL PRIMER ÁNGEL
ESCÁNDALO BANCARIO
DESPUÉS DEL ESCÁNDALO
¿A QUÉ HORA MURIÓ EL ENFERMO?
LA ARGENTINA CONTRADICTORIA
LA BICICLETA

Silvina Bullrich

CUANDO CAE EL TELÓN

EMECÉ EDITORES

Este libro está compuesto por artículos periodísticos publicados en *La Nación* de Buenos Aires, *La Capital* de Mar del Plata y en las revistas *Para ti* y *Somos*, a quienes agradecemos su atención

Fotografía de tapa: *Editorial Atlántida*

Alsina 2062 - Buenos Aires, Argentina

Primera edición en offset: 5.000 ejemplares.

Impreso en Compañía Impresora Argentina S.A., Alsina 2041/49, Buenos Aires, noviembre de 1987.

IMPRESO EN LA ARGENTINA - PRINTED IN ARGENTINA
Queda hecho el depósito que previene la ley 11.723.

I.S.B.N.: 950-04-0722-1
37.066

Dedico este libro a Bartolomé Mitre y a Blanca Isabel Álvarez de Toledo de Mitre por el afecto profundo que me une a ellos y por haber aparecido casi todos estos artículos en el diario La Nación, con el cual el 29 de mayo de 1988 cumpliré mis bodas de oro.

1
Un país con reacciones de rebaño

En mi juventud la Argentina era todavía un país individualista. Formado bajo la influencia liberal, cada habitante, oriundo o extranjero, encumbrado o humilde, inmigrante o arraigado a la patria desde dos o tres generaciones, todos y cada cual reaccionaban a su modo y según su criterio. Durante la última guerra los padres solían ser aliadófilos, los hijos —influidos por prédicas hábiles y admiradores de la omnipotencia de dos dictadores que aún no habían demostrado lindar con la demencia y llevaban el mundo a uno de sus más largos y sangrientos holocaustos— se inclinaban hacia el nazismo, pero las reacciones no eran colectivas; se discutía en las sobremesas, a menudo acaloradamente, con argumentos más o menos válidos, y en la misma forma los jóvenes descubríamos la literatura norteamericana mientras nuestros padres no se alejaban un ápice de la francesa, también conocíamos al fin la española gracias a los intelectuales llegados durante la guerra civil. Las personas eran individuos definidos y singulares; cada uno de nosotros reaccionaba a su antojo o según su modalidad hasta que a mediados de los años cuarenta comenzaron los movimientos de masas que han hecho de nosotros una tierra de rebaños más o menos numerosos pero no de seres únicos e individualistas como se debe ser en un país civilizado.

Hablar de "democratizar" la cultura es tan absurdo como querer encerrarla en los cánones de cualquier totalitarismo laico o religioso. La cultura no es movimiento de rebaño sino una aspiración individual y privada que llega sola al público. Cervantes y el Greco padecieron la persecución del Santo Oficio sin dejar de hacer su obra. Ningún creador, salvo quizá los pintores, jamás los escritores, tiende a formar escuela. La vocación es un mandato tan íntimo como el amor. Y la creación es el resultado de un espíritu creacional. Por supuesto existieron peñas; algunas en Francia en el siglo XIX, que no tuvieron cabida en el siglo XX y muchas en España porque a los españoles les gusta la charla en el café. Pero la vida moderna dificulta disfrutarlas, con sus trámites inhumanos y una obra por hacer, si también se desea compartir frecuentes reuniones literarias. De ahí la gran soledad del escritor actual. En los Estados Unidos trabajan en grupo, tienen un "staff" que les busca datos y eso ha de cambiar enormemente su forma de trabajar, pero en el resto del mundo el escritor está cada día más solo; entre nosotros, ese aislamiento es notorio.

No empecé sin embargo esta nota con el ánimo de hablar de literatura pero como dice el refrán: "La lengua bate donde duele el diente". Mi deseo era y aún es, en el espacio que me queda, subrayar ese movimiento de masa que lleva a nuestro pueblo a declarar una huelga general o varias consecutivas como para apoyarse los unos en los otros; a abalanzarse como hienas para desgarrar a cualquiera que ha cometido un error o una imprudencia en una audición televisiva, como si ellos no las cometieran a diario; a entusiasmarse a coro ante cada gol del mundial; a decretar que una pieza de teatro es una maravilla y la otra un bodrio, sin matices, sin un esfuerzo de comprensión, sin caridad, sin personalidad. Eso nos lleva a apartarnos de un restaurante si vemos que está casi vacío y entrar a otro, en donde quizá se coma peor y más caro, porque está lleno.

La mentalidad del argentino actual es la de cada oveja de un rebaño. Puede haber un cierto número de rebaños, dos o tres, los demás son individuos perdidos en la inmensidad de su vida solitaria.

Cocteau hablaba de la "dificultad de ser", yo creo que habría que completar su frase: "la dificultad de ser argentino". Esta comprobación me apena profundamente. Ya bastante triste es pertenecer al tercer mundo cuando hace medio siglo, y aun menos, pertenecíamos al primero, desarrollar nuestra actividad creadora en un país donde el fútbol es mil veces más importante que la literatura, y hasta que la ciencia; donde apenas se le acercan las finanzas de bolsillo. Y lo más deprimente es, sin duda, advertir la vocación de rebaño que va apoderándose de nuestro pueblo como en una película de ciencia ficción en la que extraños rayos invisibles doblegan las voluntades individuales para hacer de cada argentino un robot condicionado sabe Dios para qué porvenir mediocre y desteñido. Como vi por televisión la resistencia rencorosa, tenaz pero indoblegable con que los isleños de las Malvinas se niegan a ser argentinos, como si fuera un baldón comprendí una vez más, ya lo sufrí a menudo en carne propia en Europa, que el mundo ha dejado de apreciar esta tierra que fue para millones de europeos durante un siglo, la tierra de promisión, el paraíso soñado en el cual se podía lograr un trabajo digno, hacer fortuna y formar con orgullo una familia. Hoy la mentalidad de rebaño nos ha hecho retroceder hasta abismos inimaginables para nuestros padres, no digo ni siquiera para nuestros abuelos. Parecería que en nuestro mazo no hay una sola carta ganadora. ¿Qué han hecho con nosotros? ¿Quiénes lo han hecho? ¿Dónde están los culpables? Personalmente no tengo respuestas coherentes para estos interrogantes.

A causa de esta infalibilidad que confiere la masificación como lo prueba la Unión Soviética, el individuo aislado, el que no pertenece a la mayoría dueña de la razón todopoderosa, no puede cometer el menor error sin que la jauría se precipite a desgarrarlo como una manada de perros de presa. Nunca una palabra de comprensión, de piedad para quien ha cometido un error. Nunca un signo humano por parte de los robots condicionados: esto es condenable, no le busquen disculpas. Un pueblo desordenado, indisciplinado, que se jacta de violar las leyes de tránsito entre otras, es a la vez el más inflexible, el más cruel, el más severo de la Tierra. Con esta modalidad no vamos a ningún lado sino a los conocidos abismos adonde una oveja desorientada lleva a precipitarse a todo el rebaño.

2

El vértigo de las obras faraónicas

Posiblemente parte de las dificultades que sufrimos los argentinos parten en que desde hace alrededor de medio siglo nos gobiernan hombres que sólo han conocido el mundo como gobernantes, nunca como simples mortales.

Marcelo T. de Alvear sabía que cuando decía a sus amigos franceses que volvía a la Argentina suspiraban y exclamaban: "Tiene suerte, vuelve al país del sol". Es la frase que todos hemos oído de la panadera, el carnicero, del hombre común europeo. La Argentina es el símbolo del clima templado, del sol que ilumina aun en invierno ante esos países que lo tienen todo pero sufren ocho meses de lluvias, nieblas, nevadas, inclemencias del tiempo y sueñan con el Brasil primero, con la Argentina mucho después. Pero no con la inclemente ciudad de Viedma.

A principios de la década del sesenta fui invitada por Itamaraty a visitar Brasilia para el décimo aniversario de su fundación. Aun los lugares donde serían emplazadas las embajadas se limitaban a cartelones donde figuraba el nombre del país cuya sede estaría en un futuro remoto allí. Cuando no hubo más remedio que trasladarlas, los embajadores se resignaron a ir de miércoles a viernes de mañana a sus sedes y volver rápidamente a disfrutar de las maravillas de Río de Janeiro. La fortuna de Kubistcheck había alcanzado cifras fabulosas. Pero respeto demasiado a nuestros gobernantes para suponer que en sus proyectos entren cálculos semejantes.

Las llamadas "obras faraónicas" de nuestro reciente pasado eran fiestas infantiles con gaseosas y caramelos comparadas con lo que puede costar el traslado de la Capital. Por otra parte, cuando uno se ve imposibilitado de pagar la cuenta de su almacenero no corre a la joyería a comprarse un brillante de treinta kilates. Estaría mal visto, ¿o no?

Para cualquier persona decente la deuda es su mayor preocupación; lo demás viene por añadidura. Cambiar la Capital de lugar es un viejo sueño universal, pero sólo los países ricos o los que encuentran compensaciones en esto lo hacen. Recuerdo que cuando fui a Brasilia era peligroso hacerlo en automóvil porque los indios se habían comido a varios ingenieros: en cuanto a ser un paraíso estaba muy lejos, pues la ciudad magnífica y moderna estaba rodeada de un cinturón de prostíbulos y bares de mala muerte que desmentían la afirmación de que esa capital erradicaría la miseria.

En lo que respecta a nosotros, nuestra atracción "de país del sol" perdería su significado y sería el país de los vientos helados, de la nieve, de todo lo que los países del Tercer Mundo aborrecen pero soportan por designios de la naturaleza.

Hace pocas semanas oí por televisión a un energúmeno enojarse contra un joven que afirmaba "que había otras prioridades". El pobre chico se expresaba mal, tartamudeaba y el conductor no cejó hasta encontrar a un aliado, acaso elegido de antemano, que afirmaba la excelencia de ese traslado. Como siempre, en la Argentina podemos repetir: "¡Viva la libertad y muera el que no piensa como yo!" El chico tenía razón: hay otras prioridades. "¿Cuáles?", preguntaba el energúmeno, como si no supiera que mueren decenas de chicos de hambre y de frío diariamente, que faltan escuelas, hospitales, que pagan las jubilaciones y los sueldos con atrasos significativos pese a las huelgas superpuestas e incesantes y a lo magro de los haberes. TODO es prioritario, menos trasladar la Capital. Y aún menos a un lugar inhóspito que carece de infraestructura, de los mínimos edificios indispensables para una administración aún peor de la que ya gozamos. Ese proyecto no es el más adecuado para distraer al pueblo de sus penurias, de los suburbios faltos de cloacas, de los pueblos que se inundan, de los servicios públicos que no funcionan.

No somos el pueblo más brillante de la Tierra, pero no queremos que se nos trate como a mongólicos. La Capital debe quedarse aquí hasta que se pague la deuda externa, se abonen salarios dignos, jubilaciones justas o menos injustas, se hagan trabajos de desagües, obras sanitarias, etcétera... o de lo contrario puede grabárselo en su mente y en su corazón el señor Presidente: "Si así no lo hiciera, Dios y la Patria me lo demanden".

3
Gestos de buena vecindad

Escribo estas páginas a mi regreso de la Feria del Libro de Chile. Feria aún muy modesta, hecha con poca plata y mucha buena voluntad como se hace todo en Chile. El único problema es que sin lugar a duda se vive mucho más cómodamente con dinero que sin él y estos humildes stands al aire libre en una ciudad en la cual a las dos de la tarde hay 27 grados y a las ocho de la noche hay 12, resulta poco acogedora para el escritor que iba con intenciones de firmar sus ejemplares pero ignoraba que debía hacerlo a la intemperie. Por supuesto me refiero a mí que no soy joven ni tengo buena salud por lo tanto hubo que resignarse a abrir las puertas del Museo para la presentación de mis libros y sólo un puñado de personas pudieron enterarse del cambio.

Una semana en nuestra propia ciudad suele pasar rápidamente y a menudo sin dejar ningún recuerdo, pero una semana en una ciudad a la que hemos sido invitados está llena de sorpresas buenas y malas, de amistades viejas y nuevas, de reencuentros, de realidades distintas de las que nos dejó la memoria.

Lo primero y lo constante que admiramos en Santiago es la limpieza de las calles, las plazas, las fachadas de las casas. Me parecía estar en Montreal o en Ginebra no en una capital sudamericana aunque el calor humano de sus habitantes sólo pertenece a este continente; así éramos antes nosotros, acogedores, afectuosos, con nuestras mesas puestas y nuestras puertas abiertas. Pero los continuos cambios de nuestra situación económica que influyeron sobre nuestro carácter y sobre lo que fue un día nuestra hospitalidad nos convirtieron en lo único que jamás pensamos ser: adulones, admiradores tontos del primer nuevo rico que pretende deslumbrarnos, olvidadizos de las verdaderas y profundas amistades. Santiago de Chile me retrotrajo a las épocas de nuestra dignidad, de nuestra hospitalidad, de nuestra elegancia de alma, de espíritu y de maneras.

Por supuesto estallaban bombas, aquí también ¿o no? De lo contrario no estaríamos bajo el estado de sitio. Hubo una inmensa manifestación contra Pinochet, multitudinaria; sería infantil negarlo ¿pero pagada por qué gran potencia extranjera a la que le conviene que el comunismo se apodere de otros países de América latina y no comprende cómo sólo pudo instaurarse en Cuba? Pobres países a la vez desdeñados y codiciados, mala combinación que me hace repetir el verso de Darío: "Cristóforo Colombo, pobre almirante, ruega a Dios por el mundo que descubriste". La enorme confusión que se ha instalado en la mente del sudamericano entre la libertad y el desorden se debe en parte a la prédica de los interesados en ella y en parte a la mínima cultura y el exceso de analfabetismo. La persona sin formación intelectual no sabe encauzar sus pensamientos dado que nunca encontró una disciplina que los rigiera.

En varias oportunidades he afirmado que en nuestras representaciones diplomáticas sobran agregados y hasta por su ineficiencia sobran los embajadores. Cada visitante que llega de Chile sólo puede decir lo mismo que yo: cada uno de los dólares que se le pagan a quienes nos representan allí están ampliamente ganados. Referirse a nuestros embajadores que ya se han lucido en el mundo entero resulta ocioso y no debemos olvidar que casi siempre les ha tocado caminar airosamente sobre la cuerda floja de los países de la cortina de hierro, yo fui también huésped de ellos en Praga, o en momentos tirantes de Italia y en la actualidad buscar las coincidencias entre una democracia y un gobierno militar. No obstante siempre lo han logrado. Pero mi verdadero asombro fue conocer por primera vez en casi cuarenta años de recorrer el mundo de punta a punta un agregado cultural argentino que se molesta a cualquier hora del día y de la noche por un escritor; que lo recibe cuando baja del avión y lo lleva a comer, que lo despide en el aeropuerto cuando regresa y que parece no haber nacido para otra cosa que para ocuparse de uno. Todo esto en medio de una alegría constante, de una risa contagiosa, de una comprensión sin fallas y ese milagro argentino tiene ¡sólo veintinueve años! Cuántas veces Marcelo Giusto pudo zafarse de una recepción dada en mi honor o retirarse antes que yo, total estaba rodeada de viejos amigos o en la propia Embajada. Nunca lo hizo. De no habernos sentido tan afectuosamente unidos diría que había jurado ser mi guardaespaldas. Lo que aumenta el valor de su lealtad es que hacía poco tiempo le habían chocado el auto y aparecía a diario con uno distinto prestado por amigos, alquilado o perteneciente al embajador. Pero lograr ese muestrario de coches diferentes, desde un Mercedes a un casi cacharro sin aire acondicionado debía llevarle horas y complicaciones que nunca me hizo compartir. Llegaba un poquito tarde ¡pero con el coche al fin!

Y el agregado Estrada y su mujer que no me dejaron comer una noche sola y me permitieron disfrutar de un almuerzo en Zapallar... toda esa costa chilena cargada de recuerdos de mi romántica y apasionada juventud.

Dios mío, ¿cómo es posible que transitorios regímenes políticos pretendan separar a dos pueblos unidos por lazos tan profundos?

Los hombres pasan y los países quedan, los gobernantes son los que pasan más rápido y caen más estrepitosamente mientras las viejas amistades permanecen; las controversias se diluyen y la cultura es eterna, atraviesa los siglos, no la detiene ni el tiempo ni el espacio y mientras los nombres de una multitud de gobernantes se hunden en el olvido los que escribieron, esculpieron o pintaron en la misma época, en la pobreza, en el anonimato, sin haber merecido al parecer la más mínima consideración de los poderosos han dejado sus nombres grabados en la memoria de los mortales. No hago estas consideraciones para consolar a ningún sudamericano por su precaria condición sino para que nadie intente separar los lazos culturales entre los países por meros y transitorios regímenes políticos. Hacer cultura es la manera más segura de hacer patria, de unir a los hombres entre sí, de derribar fronteras y prejuicios.

Para eso y por eso debemos conocer otros países y hacernos conocer por ellos. Siempre admiré profundamente a Sartre pero nunca le perdoné que no viniera a la Argentina porque en aquel momento nos gobernaban los militares. No era su problema. Yo fui a Moscú, fui a la España de Franco y a la democrática, al Uruguay con militares o con civiles, a Chile sin que me corresponda opinar sobre Pinochet. No es mi problema y opinar sobre la política de los demás países es una descortesía y una muestra de mala educación además de probar que aunque fuéramos un genio como lo era Sartre no estamos seguros de nosotros mismos y tememos afrontar riesgos inexistentes. En la vida pública, como en la privada opino que "más sabe el loco en su casa que el cuerdo en la ajena".

4

El racismo, esa extraña aberración universal

Era yo tan joven cuando estalló la Segunda Guerra Mundial y estábamos tan lejos, que hasta mediados del 46 no supimos casi nada sobre los campos de concentración, fenómeno nada extraño si se recuerda que los soldados americanos no podían creer lo que veían con sus ojos a principios del 45. Esas pilas de dientes de oro, de huesos, de piel humana convertida en pantallas les parecía salido de lo que hoy llamaríamos una película de ciencia ficción, término que en aquel entonces no se conocía.

Los jóvenes nacionalistas argentinos que como los de todas las generaciones buscaban la manera de formar un frente contra sus padres, también quedaron apabullados. Eran imbéciles, pero no tanto.

De entonces a aquí ha transcurrido casi medio siglo y aún oímos hablar de "guerra santa" dirigida contra inocentes pasajeros de un avión o personas que no profesan ningún credo.

Como por el momento no quiero meterme en honduras me basta con haber presenciado estupefacta a un grupo de cretinos, médicamente hablando, personas poco más civilizadas que un mono, gritando contra el pueblo judío. ¿Qué saben ellos de esa antigua raza, esa antigua tribu, esa antigua religión cuya sinagoga visitaba el Papa en los mismos días, para dar opiniones al son de sus bombos y saltando como chimpancés en medio de una avenida que ellos no ayudaron a pavimentar siquiera?

En la actualidad ser antisemita es como ser antinegro, antiamarillo, olvidando los progresos fenomenales del Japón, ser antioligarca, olvidando también que ya la oligarquía se reduce a diez familias; ser antifeminista mientras las mujeres se matan trabajando; ser antisindicalista olvidando que ya existen pocos obreros analfabetos. Lo único antinatural es ser "anti" cualquier grupo étnico, social o político. Lo poco que nos ha aportado este decadente final del siglo veinte es saber que el hecho de no ser *pro* no significa ser *anti*.

Por supuesto a nadie se le escapa que me interno en este tema, recordando el triste episodio reciente de un puñado de idiotas sudorosos, despeinados, mal lavados no por trabajar sino por gritar contra un diputado que lleva un apellido judío así como muchos de ellos sólo llevarán el de su madre, no el de su padre, o cualquier otro rasgo distintivo difícil de diferenciar. Me alegra pensar que ahora cuando se quejen por la falta de trabajo les dirán: "Vaya a la Capital" y será la Patagonia.

Atacar a alguien por su ascendencia, que por otra parte no eligió, pues ninguno de nosotros ha elegido a sus padres ni a sus abuelos, linda con la demencia. Por eso hubo un demente llamado Hitler, que en el fondo, o casi diríamos en la superficie, lo único a que aspiraba era a apoderarse, enarbolando un motivo racial, de la fortuna de los judíos para seguir sus teóricas conquistas que culminaron en su estruendosa derrota.

Pero aquí en la Argentina no queremos a los racistas. Me dolió oír por televisión que un descendiente de judíos no podía ser presidente de la Nación, ni general, ni marino. Por mis venas no corre ni una sola gota de sangre judía, pero afortunadamente no corre ninguna de sangre estúpida, irracional, de demencia precoz, lo que me permite salir en defensa de aquellos ofendidos y humillados por esos muñecos a resorte, que parecen seres humanos y gritan contra los judíos. Quisiera saber cuántos ascendientes de ellos pueden compararse a un Einstein, a un Proust; a un Dr. Salk, que detuvo la poliomielitis; a un Dr. Waskman, que descubrió la estreptomicina; a un Dr. Landsteiner, que descubrió los grupos sanguíneos; a un Koch, que descubrió el bacilo de la tuberculosis, y no sigo por falta de espacio. Pero ese racismo trasnochado no puede ser desagraviado con ningún desagravio porque agravia a la comunidad, a cada argentino y debe ser condenado, destruido hasta en su raíz si queremos ser libres y civilizados.

5

El libro como producto de consumo inmediato

Todo aquel que ha empezado a escribir lo ha hecho con miras a la posteridad. Al menos me refiero a mi generación y a las anteriores, a aquellos cuyas biografías leemos y advertimos que han desdeñado los bienes de este mundo para elegir esa inmortalidad que todas las religiones nos han enseñado a esperar como el don supremo.

Los jóvenes de hoy ignoran sin duda que hace apenas cuarenta años la palabra *best-seller* no existía, fue como la droga y la subversión, un producto de posguerra. Me refiero a la del 39-45. Vender poco o mucho no era un problema del intelectual, acaso lo fuera de algunos libreros, aunque aún recuerdo a Adrienne Monnier en 7 rue de l'Odeon que creía en la creación literaria y en la inteligencia más que en el negocio. Allí conocí al pasar a Gide, y luego vino ella a almorzar como invitada mía al Ritz, envuelta en su gruesa capa de color pardo, como una carmelita. En aquel entonces los argentinos pobres éramos ricos en el resto del mundo y todos los ricos tienen muchos amigos.

En verdad ésta es una digresión, no es mi tema. Quiero referirme específicamente al asombro que nos causa, en primer lugar, enterarnos de que hay "libros para el verano" y al parecer ha de haber otros para el invierno, tan alejados los unos de los otros como la tanga y el abrigo de pieles. Hago un intento para plegarme a la mediocridad actual y admito que personas muy atareadas y sin duda entregadas a arduos estudios técnicos sólo puedan leer alguna novela o ensayo intrascendente en verano. Por eso hay quienes nos afirman que hoy como ayer y como siempre hay muchos jóvenes valiosos entregados a su disciplina pero quizá no sepan, o no recuerden, que en mi época hubiéramos deseado no vernos obligados a comer o a dormir con tal de seguir sumergidos en "Los Miserables", "La guerra y la paz", "Crimen y castigo"... y tantos, tantos otros más. Leer era una pasión, una entrega, toda pasión lo es.

Hoy los jóvenes valiosos estudian como lo hicieron siempre, pero antes además leían por placer libros de invierno, de primavera, de otoño o de verano, como las sonatas de del Valle-Inclán. Parecía imposible imaginar una mesa de noche sin un libro de cabecera.

Todo esto viene a cuento porque leo en el diario que los libreros han hecho listas de los libros para leer en el verano. Ninguna de estas obras recomendadas tiene más de un año, es como para creer que al final del 85 se terminaron los libros que pueden hacer placenteras las vacaciones... Incluso nos enteramos de que Marta Lynch vende más que Rulfo porque se suicidó y este último murió de muerte natural. ¿Qué tiene esto que ver con el verano ni con el placer de la lectura? ¿Estamos todos locos o hemos caído como lo afirmo a menudo en el abismo de la imbecilidad? ¿No hay acaso un solo librero que pueda recomendar alguno de nuestros libros escritos hace quince o veinte o diez años y fueron los best-sellers del momento? ¿A nadie le divertiría enfrascarse en "La conspiración de los idiotas", de Marcos Aguinis, en "El hombre que compró su muerte", de Geno Díaz, o en "Mañana digo basta", que aunque soy la autora hace pasar muy buenos ratos? ¿Y "La invención de Morel", de Bioy Casares, y "El Padrino", y "La dama del Nilo" y "Cien años de soledad" y "La enviada" de Taylor y centenares de otros libros que me resulta imposible enumerar pero fueron llevados a la pantalla por la fuerza de su acción? Ni el lector, ni los escritores, ni los editores tienen la culpa de esta monstruosidad; los únicos culpables son los libreros que por miedo a quedarse con algún libro que nadie les pide sólo compran los recién aparecidos. Como siempre el intermediario conspira contra el productor y contra el consumidor.

A decir verdad no deja de causarme gracia que los amantes de *best-sellers* compren a Kundera porque ninguno podrá pasar de la página treinta, es arduo y difícil de leer, "no es para el verano" señores libreros. En cambio es fácil de leer "Don Segundo Sombra", "La gloria de Don Ramiro", "Aquí vivieron", y al menos diez más de Mujica Láinez, "La alfombra roja", de Marta Lynch, aunque era joven y estaba llena de vida y de ambiciones... ¿Para qué seguir? Esta falta de objetividad de los libreros que antes eran verdaderos consejeros como lo fueron Yannover o Isidoro Blaisten tienen que dolerle a cualquier escritor que a su vez es un lector consciente.

Confieso que esa manera implacable de tachar de un plumazo todo libro escrito o publicado en la Argentina hace más de dos años, me causa náuseas. Acaban de descubrir "Las venas abiertas de América latina". ¿Por qué no lo descubrieron hace quince años o más cuando apareció? En cambio Kundera reemplaza a Kosinsky y nadie recomienda "Desde el jardín", una de las novelas más sutiles y a su vez divertidas de estas últimas décadas.

Admito con dolor que mis nietos pueden ser estudiantes brillantes pero pésimos lectores, admito que el público se equivoque y tema gastar mal su dinero, por lo cual prefiere la ignorancia y la televisión. No se lo perdono a los libreros porque ellos saben que para obtener nuestros libros anteriores los lectores deben apretujarse en la Feria del Libro, pedirnos un beso, decirnos que su hija lleva mi nombre por mí, suplicar una firma, una dedicatoria... ese público existe señores libreros, y ustedes lo saben. Tengo amigos extranjeros que se desesperan por no poder encontrar libros míos en las librerías de Buenos Aires y una amiga argentina que me pregunta cómo encontrar "Un momento muy largo" porque ha mandado a su secretaria a veinte librerías sin poder encontrarlo. Por supuesto, los libros viejos entrañan un riesgo, no se reponen por temor a perder sumas irrisibles. ¡Que al menos se los ofrezcan a sus clientes como regalo de Navidad!

A todo esto ya terminó el verano. ¿Qué libro quiere leer ahora la estrafalaria clientela de algunos libreros? Es una buena época para conocer a Homero o para sentir que no estamos hundidos en la nieve como "Los hermanos Karamazof".

Sería interesante obtener una lista de libros otoñales aparte, como ya lo consigné, de las Sonatas de del Valle-Inclán que además de ser admirables abarcan todas las estaciones del año.

El público ya acudirá en tropel a la Feria del Libro y allí no pedirá consejos sino que se dirigirá con paso seguro hacia el stand donde firma su autor preferido. Porque el libro no puede ser temporal e intrascendente, estar o no estar de moda, ni ser bien o mal vendido, dado que los que más se venden en la Feria son la Biblia y Martín Fierro. Me causa gracia recordar que hace diez o más años uno de mis colegas al comentar un libro mío dijo: "No cabe duda que todas las señoras lo tendrán en la playa entre la polvera y el bronceador". Yo lo tomé a mal. Ocurre a la luz de los hechos que él era vanguardista y yo anticuada, porque ahora es más importante pasar por un bolsón playero que persistir en el anaquel de una biblioteca.

Y sí, los tiempos cambian. Como cambian las costumbres, y aunque sabemos que siempre habrá profesionales con mayor o menor vocación de servicio lo que está perdiéndose irremisiblemente es el hábito de la lectura, cosa que repercute entre muchos otros males en el nivel de las conversaciones de las reuniones y las mesas familiares.

6

¿Sed de justicia o sed de venganza?

La fama de nuestro pueblo ha sido siempre la mansedumbre, la cordialidad y el calor humano. Hoy ya no se puede decir esto de los argentinos sobre todo de aquellos que pedían más circo que pan, y disfrutaban con la humillación sufrida por miembros de las Fuerzas Armadas a las que hace pocos años aclamaban fervorosamente. Recordar la estupidez colectiva que llenó la Plaza de Mayo convencida de que nos habíamos apoderado de las Malvinas sigue avergonzándonos a los que tenemos sentido de la realidad y además conocemos la historia de las guerras coloniales de cada país.

En este triste fin de año en que todavía queda para el pan pero no para el pan dulce, en que nos desplazamos a ciegas sin saber qué rumbo lleva la nave en medio de la espesa neblina creada por una moneda nueva que engaña al extranjero y le hace creer que somos riquísimos porque tenemos la divisa más alta del mundo, debemos para colmo de males, enterarnos de que las madres de Plaza de Mayo renuevan su recorrido descontentas con las sentencias recaídas sobre los culpables de la desaparición de personas, algunas de las cuales van apareciendo en el terremoto de México, en un accidente de aviación o en una reunión de intelectuales en Barcelona. ¿Piden justicia o piden venganza? Porque la justicia, o la injusticia en algunos casos, ya ha sido dictada por los jueces supremos de la Nación, pero la sed de venganza es tan poderosa que deberíamos saber qué pretenden estas personas imbuidas de un revanchismo sin límites. ¿Quisieran ver a quienes odian quemados en la hoguera como en los tiempos de la Santa Inquisición?

Sería interesante saber qué hacían antes esas señoras; me refiero en qué trabajaban, qué construían para el país cuando aún no llenaban sus horas desfilando ante la Casa Rosada. No recuerdo que el nombre de ninguna de ellas haya figurado en las letras, en las artes, en la política, en las instituciones de bien público. Es como para suponer que esperaban agazapadas esa instancia dictada por circunstancias dolorosas.

Siempre he pensado que en una misma persona no puede florecer el odio y el amor. Los que tienen una gran capacidad de amar, por lo general, no logran odiar y los que anidan en sus corazones una gran capacidad de odio, generalmente, tampoco saben amar. Mucho menos perdonar, por supuesto. Las virtudes humanas que en la era del cristianismo llamamos virtudes cristianas no son el atributo de esas mujeres que por el hecho de ser madres han de haber conocido el amor y deberían hacer un esfuerzo por superar el odio o, al menos, mitigarlo.

Me cuesta escribir estas líneas porque me cuesta juzgar a mis semejantes. Cada vida es un enigma pero en verdad compadezco también a los jueces que se han visto obligados a juzgar a quienes salvaron al país de la anarquía, del comunismo, de la subversión que sólo un niño de menos de diez años puede no recordar en la actualidad. Por otra parte debe haberles resultado muy difícil no pedir la extradición y el juicio de Isabel Perón, que firmó el acta en que obligaba a las Fuerzas Armadas a exterminar la guerrilla. Esa señora tuvo el tacto y la prudencia de eclipsarse del escenario político e hizo un gran favor a su partido y al país. Un favor aún mayor se hizo a sí misma. ¿Pero por qué no alzan sus puños contra ella las insaciables señoras de pañuelos blancos que deberían ser más bien rojos porque blanca es la bandera de la paz?

Esa bandera blanca es la que yo desearía ver alzarse hoy junto a la celeste y blanca que nos legó Belgrano. Dado que somos las personas más pobres del mundo aunque tenemos la moneda más alta del planeta después de la libra; dado que día a día debemos ir haciendo el aprendizaje de nuevas privaciones y armarnos de una paciencia infinita para explicar a los habitantes de los países vecinos que esa moneda tan alta no abulta nuestros bolsillos ni podemos pagar los precios que ellos nos piden para sus servicios o en los restaurantes y que ni ganas de trabajar tenemos dado que no podemos recibir ningún aumento, adoptemos la actitud digna y altanera de los nobles venidos a menos. Quisiera aclarar que no me refiero a los obreros y empleados modestos, a los jubilados que sólo viven de sus jubilaciones o pensiones pues considero que a ellos les está permitido adoptar cualquier actitud, hasta estas huelgas que tanto nos perturban y perjudican, para obtener una suma mínima que les permita vivir por lo menos como un trabajador de Nicaragua o las Filipinas o cualquier otro territorio paupérrimo de la Tierra. Esto en uno de los países más ricos del globo como es el nuestro. Uno de los pocos que tiene desde nieves eternas hasta climas tropicales donde se puede cultivar toda clase de frutos y verduras y obtener la mejor madera en territorios fiscales que deberían ser entregados a las jóvenes parejas para que fueran allí a hacer prosperar el país. Y el petróleo y las minas que los poseedores deben ocultar para que no les confisquen los campos.

Tanta improductividad causa náuseas e indignación. Es inútil que el Gobierno quiera seguir sacando aceite de los ladrillos. Tampoco pueden tachar más ceros porque no nos queda ninguno. Lo importante es arriar las banderas del odio, izar las de la hermandad, el trabajo, ayudar a que cada cual se forme un capital. De lo contrario pasaremos imperceptible o visiblemente del concierto de países capitalistas al de los países socialistas.

Sería una pena porque con todos los defectos que tiene el capitalismo para quienes no poseemos ni fábricas ni campos es el único sistema en que podemos llegar a poseerlos y es la única base para que se afiance una democracia digna de llamarse tal. Sería conveniente enseñar a los jóvenes argentinos que la democracia es el mejor sistema de gobierno, pero no se trata de blandirla como un estandarte vacío de conceptos, es necesario aprender a manejarla, a administrarla, a sostenerla. Todo esto se logra con trabajo y dejando de lado de una vez por todas los revanchismos que tantas llagas han estado abriendo a lo largo y a lo ancho de nuestra patria. También hay que enseñarles a no odiar a nadie porque lleva un apellido aristocrático ni a nadie por el hecho de no llevarlo. Basta ya de escarbar en presuntas irregularidades de diez años en diversos gobiernos, con una guerra ridícula en el medio que costó 20.000 millones de dólares que ahora nos duele pagar e inventamos un chivo emisario.

En los países como en los negocios cuando la situación es floreciente todo el mundo se reúne a comer, se abraza, se felicita; cuando van mal comienzan los reproches, los reclamos, las suspicacias. Y la flor que crece más lozana en esos casos es la sed de venganza disfrazada a menudo de sed de justicia.

7

El escritor y el verano

Recuerdo haber admirado hace muchos años, junto a mi padre, en una exposición de anticuarios un ambiente titulado "El cuarto de un hombre honesto". Había un sillón cómodo junto a una chimenea, un escritorio, libros... Miro a mi alrededor y pienso que estoy en un ambiente que puede llamarse "El living de una mujer honesta". Entre mis manos tengo un libro de Nietzsche, el primer tomo de "La voluntad del poder", y me esperan otros volúmenes del mismo autor. Leo, subrayo y al mismo tiempo dejo vagar mi pensamiento. Es un ambiente blanco, una biblioteca blanca, una chimenea blanca; una pequeña L forma un comedorcito donde también hay un mueble inglés que podría ser vitrina o aparador, pero por supuesto como todo lo que toco se ha convertido en biblioteca.

Pese a las lámparas encendidas las espesas cortinas blancas me defienden de los ojos indiscretos. Me siento en paz conmigo, con Dios y con los hombres. De mis relaciones conmigo misma no hablaré porque pese al libro que acabo de dejar de lado no tengo una preparación suficiente para hablar de filosofía. Mis relaciones con Dios son profundas y temibles como las que otros tienen con el Diablo. A semejanza de los judíos hablo con Dios de igual a igual, le ruego, le pido que recuerde algo conmigo, lo increpo, me enojo, lo culpo, le pregunto si tiene noticias de mis seres queridos. ¿Dado que ya no están conmigo están acaso con Él?

Los hombres, en cambio, genéricamente hablando, han perdido su identidad bajo la cruda luminosidad del verano. Los veo como en espejos deformantes: en un natural desdoblamiento me veo a mí junto a ellos. Tienen casi siempre una copa en la mano, usan ropas convencionales teóricamente anticonvencionales, pero la realidad no se deja engañar: una remera firmada es como el frac de Savin Row que hace muchos años lucían nuestros abuelos. Mi padre ya usaba pantalones blancos, remeras blancas sin iniciales, un gorro blanco de Gath y Chaves y yo vestía igual que él cuando hace medio siglo salíamos a navegar. No seguíamos ninguna moda, acudíamos hacia el mar como se va hacia el amor y las consignas eran netas: "Caza la escota... suelta la borda... vamos a virar, cuidado con la botabara... el foque no, la trinquetilla...". Y como todo grumete obedecíamos sin chistar.

Aquí, ahora, nadie habla de sudestadas ni de velas que dejaron de flamear a causa de un viento perezoso que nos mantuvo largo rato al garete, ni de las luciérnagas, ni de los jazmines olorosos. El tema continuo es la falta de tema. "Qué tal... qué tal... qué tal..." Ya lo hemos dicho a la misma persona aquella mañana, aquella tarde, pero interrumpe alguna conversación para repetirlo. Es el mundo del ¡Qué tal! Pero sería un drama si alguien contestara algo coherente; se trata sólo de una voz de orden para introducirse en un pequeño grupo ya formado... qué tal, qué tal, sin punto de interrogación siquiera. Por lo general, las mujeres avanzan orgullosas sobre una alfombra roja y todas creen que matan. Los hombres se encogen de hombros bajo las camisas remangadas para parecer menos nuevas, que les ha regalado su familia para Navidad. Por supuesto cada mujer le ha preguntado a su marido si la encuentra bien y él le ha dicho que era ¡la mejor de lejos...! Todos fluctuamos bajo el espejo deformante como fantasmas, pero en vez de salir del pasado salimos de un presente transitorio como lo es siempre el presente y acaso de un futuro inmediato, mañana, la semana próxima... podremos usar el mismo vestido porque ahora llegó la gente de febrero aunque quedan algunos de enero.

Cuando me quedo hipnotizada mirando a mi alrededor alguien me pregunta: ¿Qué hace ahí? "Nada, los miro", digo sin mentir. Horas después comprendo que han querido preguntarme si he sido invitada para el asado o para el puchero. No; pese a la generosidad ilimitada de los amigos a quienes veo durante el largo verano esta vez me he salido del espejo y solamente miro, es decir por un momento soy sólo yo misma. Sí, ya sé, mañana, pasado mañana... ayer me olvidé del cóctel, de la conferencia pese a la hoja de block cubierta de fechas apretadas en la cual sólo consigno almuerzos y comidas. ¿Cómo hemos hecho para comer tanto? La gente se corta en pedazos para agasajar al prójimo, el pozo de sus dones es inagotable contrariamente al tonel de las Danaides. Pienso en todo esto mientras el volumen de Nietzsche descansa sobre mis rodillas. ¿Quién soy yo? ¿Cuál es mi verdad? ¿La de las noches bulliciosas o la de las noches silenciosas? Sé con exactitud que un escritor es como un sacerdote: no puede colgar los hábitos, hemos hecho un juramento ante Dios y bajo el vestido de un gran modisto o el traje de civil se advierten las marcas de cilicio que deja en forma imborrable la vocación. Me permito hacer míos estos pensamientos de Nietzsche: "Aunque nunca he pensado en la gloria no tengo la menor duda de que mis escritos me sobrevivirán. Si alguna vez he pensado en mis lectores eran lectores aislados, individuos dispersos a través de los siglos. No soy como el cantor que necesita una sala llena para sentir su voz alerta, su mirada expresiva, su mano elocuente".

Con respecto al trabajo periodístico y a la labor inmediata, al lector actual y circunstancial sólo puedo decirle: "Nadie es moneda de oro para gustar a todo el mundo". Además, uno no escribe para gustar sino por la necesidad imperativa de expresarse. Tengo el orgullo desmedido de creer que se trata de un mandato divino y sé que lo pago muy caro cada vez que lo olvido o desobedezco.

"A la huella, a la huella, mal que te pese, hay que seguir por ella cuando anochece." Yo diría: desde que amanece hasta que anochece, de lo contrario no hubiéramos visto tan nítidamente esa huella desde la temprana adolescencia.

Luego elijo un libro para leer en la cama; ya es la evasión, la distracción, no la concentración requerida por Nietzsche. Siento que es parte de mi responsabilidad de escritora y crítica literaria recomendar a los lectores que al entrar en una librería busquen libros de los autores que les gustan y lo mismo deben hacer o por lo menos yo lo hago al abrir el diario. ¿Para qué leer páginas de personas que no aprecio y piensan en forma diametralmente opuesta a la mía? Hasta para discutir hay que partir de una base en común. Lo demás es perder el tiempo y lo hacemos durante tantos meses en estos países casi tropicales que debemos evitar hacerlo en la elección de nuestras lecturas. El lector se beneficiará y el autor quedará agradecido por su honesta indiferencia.

8
El nuevo hobby de los argentinos

Hace medio siglo sólo los cabañeros, los expositores, los compradores y criadores de hacienda iban a la Exposición Rural. Con el tiempo es una gran feria que atrae a grandes y chicos con sus restaurantes típicos, su artesanía y su industria y esos magníficos ejemplares bovinos, ovinos, etc... de los cuales la mayoría de la gente tiene un conocimiento elemental.

También durante la Primera Feria del Libro el público era selecto y limitado. Actualmente se apiñan chicos y grandes para conocer de cerca a los escritores, preguntarles: "¿Qué escribe usted?"; correr a otro stand a ver a una vedette que acaba de presentar sus memorias o a un salón en el que se desarrolla un acto cultural o semicultural, que es algo así como la diferencia entre un brillante y un zircón.

La atracción de la masa, nacida en los partidos

de fútbol, se ha hecho carne en los argentinos, en la mayoría de los casos para mejorar su cultura, en otros para llenar sus días vacíos con ese otro *hobby* que no les molesta en absoluto: hacer cola.

En 1939 René Huyghes llegó al país con una exposición de pintores franceses del siglo XIX y del XX traído por los Amigos del Museo de Bellas Artes. Aún no existía el de Arte Decorativo. La familia Errázuriz continuaba viviendo en su espléndida casa con cielos rasos decorados por Sert como la de Pereda, luego Embajada del Brasil. Fue bastante gente pero no acudieron vastas muchedumbres. Una colecta permitió comprar una de las pinturas venidas con la muestra: un Degas muy diferente al resto de la obra de ese maestro, por lo general afecto a pintar bailarinas y captar el movimiento. Se trata de un hombre robusto sentado sobre la esquina de una mesa.

Lo cierto es que esta atracción por visitar exposiciones ha nacido en el último lustro. Cabe suponer que aquellos que viajaron en una época en que todos lo hacían como atacados sin preguntarse cómo se las arreglarían para estabilizar la balanza económica familiar, desestabilizada por esos viajes, influyeron para que el argentino medio supiera que los museos y las exposiciones eran parte de la vida. En realidad sólo habían pensado ir a comprar pero en las excursiones ni mandinga escapa al recorrido prefijado de los museos preparado por los organizadores. ¿Cómo mantener a ese grupo indisciplinado sin obligarlo a reunirse ante el Prado, el Louvre o la tumba de Tutankamon? Y cuando el argentino medio viaja es dócil, presiente que sabe poco y que acaso nunca vuelva a tener la oportunidad de volver a esos lugares. Además es gregario y teme encontrarse solo en países cuyo idioma apenas balbucea o que ignora por completo. También le gusta fotografiarse montado sobre un camello, a los pies de la torre Eiffel, durante el cambio de guardia de la Torre de Londres (antes de las Malvinas) o con un grupo de tiroleses. Y como aun teniendo un aparato fotográfico propio las parejas para aparecer juntas suelen pedirle a otra persona del grupo que tenga la bondad de fotografiarlos, nadie puede negar después que han estado en París, en Egipto o en Salzburgo.

Lo positivo es que el argentino aprendió a visitar museos. Nunca tuvo que hacer cola en ningún otro país del mundo pero sabe que la comparación se ha vuelto imposible; quiera Dios que un día no le parezca normal ver personas durmiendo en el suelo como en todas las ciudades de la India. Eso es lo negativo.

En cambio el hecho tan sencillo de desear ver la obra de Dalí acaso más por la leyenda que lo envuelve que por lo que interesa a unos o a otros su interés por su pintura es un buen síntoma. Luego también hubo colas para admirar la exposición de pintura moderna y al final la de Picasso. Esta última también llega envuelta en su leyenda.

Como lo expresé al comenzar no sólo las exposiciones pictóricas sino la Rural, la Feria del Libro, y muchas otras atraen la curiosidad del argentino actual. Es continua la corriente que va a la de FOA, es decir feria de los decoradores; fue densa la afluencia de público que acudió la Feria de los Anticuarios. En cuanto a la sala de exposiciones de Figueroa Alcorta sean libros o artículos del hogar la gente acude a la cita con una admirable fidelidad.

No dejaría de ser importante que nuestros gobiernos supieran hasta qué punto el ciudadano de estas latitudes se ha vuelto responsable, ávido de cultura, hastiado de marchas y contramarchas por motivos de suma importancia, pero a los que nadie presta atención e intenta distraerse mirando un mundo a menudo difícil de comprender, sumergido en arduas leyes estéticas y pictóricas pero que al menos lo alza de su mediocridad cotidiana.

Al menos en los grandes centros urbanos se acabó el analfabeto como fuerza electoral o cívica. Hoy el argentino de un nivel medio sabe diferenciar entre un Holando y un Aberdeen Angus, entre un Hereford y un Shorthorn. Ha leído mucho sobre Dalí, sobre Picasso, y algo entiende de la pintura moderna, cubismo, figurativos, no figurativos, abstractos, art nouveau, art deco, etc... Los mismos diarios se encargan de enseñárselo.

Por supuesto su saber no siempre es profundo

¿quién puede conocer todos los secretos de un oficio que le es ajeno? Pero ya no podemos hablar de ignorancia crasa ni encogernos de hombros. En medio de una economía caótica y alejados del mundo que importa, cada cual pone su grano de arena para demostrar que esas pinturas no han sido enviadas en vano. Las dificultades de la vida cotidiana en vez de alejarlos de algo superior le hacen aspirar a ello.

Dios bendiga a un pueblo tan esperanzado en medio de la desesperanza que lo agobia.

¿quién puede conocer todos los secretos de un oficio que le es ajeno? Pero ya no podemos hablar de ignorancia crasa ni escogemos de nombres. En medio de una economía caótica y alejados del mundo que importa, cada cual pone su grano de arena para demostrar que esas pinturas no han sido enviadas en vano. Las dificultades de la vida cotidiana en vez de alejarlos de algo superior le hacen aspirar a ello.

Dice Portela: [illegible] esperanza en medio de la desesperanza que lo agobia.

[illegible] el encargado del Orquesta [illegible] que sólo [illegible] amiga [illegible] mis manos [illegible] caso [illegible] Argentina [illegible] es [illegible] en 195[illegible] de la vida [illegible]

Aunque no es el caso de [illegible] crítica literaria [illegible] en el diario dispone de otra sección, [illegible] informar a los argentinos de lo [illegible] en Europa. Debo aclarar que no se trata de una historia de ficción sino de un relato real en gran parte fiel de esta tierra nuestra que fue el sueño dorado de todos los inmigrantes del mundo; no de los buscadores de oro sino de quienes confiaban en hacerse situaciones estables y opulentas en

9

Cómo nos ven en sus recuerdos

Gracias al embajador Ortiz de Rozas, que se lo hizo llegar a una amiga común, cayó en mis manos un libro que tiene este título escueto y acaso elocuente para quienes vivimos en estas latitudes: *Argentina*. La autora se llama Dominique Bona, es licenciada en letras en el Quotidien de París y nació en 1953, lo que significa que está en la plenitud de la vida. Por otra parte, su libro lo demuestra.

Aunque no es el caso de hacer crítica literaria pues para eso el diario dispone de otra sección, considero importante informar a los argentinos de cómo nos ven en Europa. Debo aclarar que no se trata de una historia de ficción sino de un relato real y en gran parte fiel de esta tierra nuestra que fue el sueño dorado de todos los inmigrantes del mundo; no de los buscadores de oro sino de quienes confiaban en hacerse situaciones estables y opulentas en el país de la opulencia, de la pampa húmeda, ese fin del mundo al que acudían de Galicia y de Sicilia, de Nápoles y de Varsovia, en aquellos años en que nuestras criadas eran gallegas, nuestros mucamos de comedor polacos, nuestros porteros italianos como los verduleros, los estibadores y muchos que se convirtieron en grandes artistas al deambular por la Boca. Las institutrices eran inglesas o francesas. Había una clase alta sumergida en el lujo y una clase baja sumergida en la pobreza, pero que con esfuerzo y voluntad podía subir todos los peldaños de la escala social como lo pinta con acierto la autora de *Argentina*.

Jean Flamant, joven inmigrante, llega en tercera clase del Massilia, uno de los barcos de aquella época dorada en que todos los transatlánticos recalaban en nuestros puertos, cosa que sin que nos expliquemos bien por qué ya no ocurre, aunque muchos de nosotros recordamos desde el Cap Arcona hasta el Bretagne, el Laënnec, el Claude Bernard, para citar sólo algunos, ¿qué ocurre que ya no llegan y no los vemos partir? Aún recuerdo a monseñor Pacelli llegando en el Conte Grande; veo a todos los que embarcamos en el Campana a fin del cuarenta y seis y nuestros continuos viajes en "los sabios" de la compañía Chargeurs Réunis. Pero volvamos a Jean Flamant en su sofocante camarote del Massilia. La autora tiene el acierto de hacerlo llegar en un día de invierno frío y lluvioso para que sus lectores no supongan, como es de rigor, que se trata de una tierra tropical.

La lucha por la vida de este joven inmigrante está muy bien descripta, sin concesiones, nada le resulta fácil, no se conquista América como lo suponía al embarcarse en Marsella o lo creían quienes zarpaban de Vigo o de la Coruña. Ninguna conquista es fácil. Estamos en 1920.

Sería exagerado afirmar que no hay errores en las descripciones de esta vida pero también sería injusto exagerarlas. Nadie tuvo jamás una casa quinta sobre el cementerio de la Recoleta, ¿o sí? Pero no hasta hace veinte años, sin duda. La carrera meteórica del inmigrante no escapa a la lógica de nuestro país a principios de siglo; el afirmar que no tuvimos un Bolívar es una imperdonable ignorancia respecto de nuestro Libertador y falta quizás una pincelada sobre la caída constante de nuestra moneda que desde el 45 a nuestros días jamás pudo recuperarse, pero es una novela, por añadidura, escrita por una extranjera, y a decir verdad no se puede pedir más.

Lo importante de este libro es que es el único en su género, la única descripción casi exacta de nuestro país tan ignorado; no sólo de Buenos Aires, sino de Mendoza, de las estancias y hasta de Ushuaia. Nunca ninguno de nuestros visitantes o habitantes extranjeros supo ver ni pintar todo esto. Por lo tanto Dominique Bona merece nuestro aprecio y un saludo especial de esta Argentina que conoció mejor que algunos de los nacidos aquí.

Este libro fue editado por la casa Editora Mercure de France en 1984. A decir verdad sería sumamente interesante que a la autora se le ocurriera escribir la vida de otro inmigrante llegado a la Argentina más o menos cuando termina este libro. Veríamos a un joven europeo arribando a nuestras costas, empujado por el temor de una nueva guerra, voz que corría Europa en 1946, y que pensara que al fin tocaba un puerto de paz, de esperanza y con un porvenir sereno. Entonces lo veríamos lograr trabajo con dificultad y comenzar a ahorrar para comprarse su casita y fundar una familia mientras mandaba a su aldea natal una parte de su magro sueldo.

Lo imagino cada vez más desorientado ante el sueño imposible, no de un palacete en la Recoleta, sino del techo propio, desistiendo de seguir enviando mensualidades a sus padres porque año a año la moneda se deprecia y al llegar a mediados de la década del 50 ya no valía la pena su sacrificio. A los veinticinco años ya se sentía un fracasado en vez de un triunfador, salvo que eligiera el camino de la coima que a menudo pasaba por el de la política. La paz tampoco era tal, las revoluciones se sucedían y antes de llegar a viejo ya había visto estallar una guerra en el bendito país de la paz. Lo veo optando por jubilarse hasta que también advierte que la jubilación es una birria, una suma irrisoria que por añadidura nadie sabe la fecha en que la va a cobrar. En realidad lo veo vivir junto a nosotros nuestro caos y quizás en vez de estrellarse su avión en el Sur y salvar el pellejo elija suicidarse como tanto fracasado cuyo anonimato o discreción permite ignorar el porqué de esa dolorosa decisión.

Esta especie de saga quedaría trágicamentte redondeada como la vida de cada uno de nosotros, los que sufrimos sin saber por qué castigos inmerecidos, por qué las uvas maduras son el privilegio de unos pocos, los que no se preguntan con qué va a comer un jubilado en los quince días que demoraron en entregarle su propina sin siquiera un aguinaldo para comprar pan dulce.

Ésa es ahora nuestra Argentina, Dominique Bona, no ya la tierra floreciente y de promisión que ha quedado grabada en su recuerdo.

10
¿Por qué? ¿Por qué? ¿Por qué?

En la mente de los argentinos no hay respuestas sino preguntas. El porqué devora el cerebro de quienes nos hemos criado en un país rico, próspero, pujante, poco a poco declinante hasta llegar a la miseria actual.

¿Quién de nosotros no se pregunta por qué el Corriere della Sera publica en septiembre del 86 que la Argentina acaba de comprar 170 nuevos Mirages III N G, Mirages 5 y Dagger versión israelí del caza francés con autonomía de vuelo, etc... ¿Por qué han comprado tres C 130 para transporte de tropas, cuarenta helicópteros, misiles nuevos fabricados en Alemania, etc., etc... y un submarino atómico?

¿Por qué? Yo no tengo respuestas. Quizá las tenga algún lector. Tampoco llego a comprender que el país mejor dotado de la Tierra tenga sueldos inferiores a los de Filipinas y que la pobreza de cada habitante sea tan evidente como lo fue en la Feria del Libro de Córdoba, en la que la gente juntaba monedas para comprar el libro "más finito", porque es el más barato.

Antes de continuar deseo aclarar que el artículo citado del Corriere della Sera lleva la firma de Giangiacomo Fos, "enviado especial a Buenos Aires", y que la lista de nuestro gasto en armamentos es impresionante. Quizá sea normal, dado que todo país debe armarse, pero el contraste con la pobreza de la vida cotidiana hace que esto se agigante.

¿Por qué debemos importar papas acaso contaminadas después del desastre de Chernobyl y pollos y huevos y hasta ganado en pie? Nosotros, los dueños de la pampa húmeda, el granero del mundo durante dos siglos... ¿Por qué?

No obstante la importancia de cada uno de estos porqués entre los cuales dejo en el tintero la miseria de los jubilados y de los asalariados, las colas ante los consulados de Italia, de España, de los Estados Unidos que a menudo se permiten negar una visa... el mayor de... y de los diarios de Madrid que ofrecen "departamento, etcétera... y agregan: argentinos abstenerse" imponiéndose otro doloroso, ¿por qué? La mayor de mis preguntas va dirigida directamente al presidente de la Nación Argentina.

¿Por qué el doctor Alfonsín se excitó tanto en Río Cuarto? ¿Puede un abogado que no ha nacido en un medio opulento decir que "los estudiantes universitarios son privilegiados"? ¿Acaso lo fue él? No. Tuvo que quemarse las pestañas ante los libros en la primaria, en la secundaria, en la universidad para obtener su título de abogado. Porque no se lo regaló nadie, lo ganó, de joven estudiante nacido en Chascomús perteneciente a una clase media acomodada, pero nada más. ¿Por qué niega sus propios valores? ¿Sólo para justificar la falta de presupuesto de las universidades? Nadie, absolutamente nadie que haya tenido que estudiar, trabajar, ganarse el pan con el sudor de su frente es un privilegiado; es un hombre normal. ¿Por qué perder su compostura, su sonrisa, su actitud carismática para gesticular excesivamente y vociferar ante quienes no piden prebendas sino la posibilidad de estudiar? Yo saludo a los estudiantes que luchan por un mayor presupuesto universitario. No creo que podamos considerarlos niños bien ni nenes de papá. Ésos están haciendo esquí en Saint Moritz o paseando por la Costa Azul o sabiamente trabajando en la fábrica de papá, en la empresa de papá, en el Banco de papá. Y si papá se deslomó para abrirles paso a sus cachorros, bendito sea papá, que ésta no es la Unión Soviética y existen aún empresas de diversa envergadura, como en todo capitalismo.

¿Por qué nuestros reclamos obtienen respuestas agresivas o desdeñosas si son ejemplos de dignidad? Benditos sean los estudiantes que pretenden un mejor presupuesto universitario porque quieren estudiar y ser hombres de bien, como lo es nuestro Presidente. Ellos también pueden llegar a ser presidentes de la República Argentina.

¿Por qué el argentino tiene mala memoria? Algunos dicen que es el clima, la humedad, otros siguen echándole la culpa a gobernantes anteriores. Pero ninguno de nosotros debe olvidar nada. Ni lo bueno ni lo malo. Y nuestro Presidente, impulsado acaso por un hombre talentoso, ingrato e internacional como es Dante Caputo, estudiante de la Sorbona, olvida nuestra mente pastoril y algo ingenua. Queremos amor, como dijo Ernesto Cardenal refiriéndose a Marylin Monroe: "Ella nos pedía amor y le dimos tranquilizantes". El lema del argentino es el calor humano, el que emanaba de la imagen de Alfonsín con las dos manos unidas en señal de solidaridad. Seguimos siendo solidarios, señor presidente, porque seguimos en el mismo bote; junte sus manos que nosotros vamos a juntar todas las nuestras con las suyas, pero no se enoje porque ése es el recurso que nos queda a los débiles, no crea que nos causan gracia los pesqueros soviéticos; conserve, por favor, nuestra ingenua identidad, sea uno de los nuestros así, como cada uno de nosotros quiere ser uno de los suyos. Parézcase a sí mismo que es la mejor imagen que tiene el país. Lo hemos querido mucho, hemos creído en usted y lo necesitamos. O usted o el caos. Crea en la buena voluntad de quienes al final de su vida sólo se esfuerzan para poner su débil hombro para ayudar a sostener a esta Argentina nuestra.

11

Manucho

Hace casi medio siglo que Manuel Mujica Láinez, por obra y gracia de su talento se convirtió en Manucho; lo cual significa que entró en la nómina de los personajes mitológicos que tiene cada país, cada ciudad. Pues en aquel entonces su ámbito se ceñía sobre todo a Buenos Aires.

De ahí el título de su primera novela *Don Galaz de Buenos Aires*, cuyo estilo, tan influido por Enrique Larreta, era también el de los escritores españoles de entonces y más exactamente del pasado.

Sus primeros versos habían sido publicados en la revista *El Hogar*, que aún recuerdan las personas mayores y entusiasmó tanto a los jóvenes románticos de mi generación que sólo soñábamos con conocerlo. Pero a los 22 años entró como periodista al diario La Nación, en cuyas páginas volcó a raudales su talento como redactor, colaborador, crítico de arte, etcétera.

El éxito lo alcanzó muy pronto y no demoró en jubilarse cuando pudo acogerse a ese "beneficio de la jubilación", que hoy se presta a burla.

Buenos Aires fue durante largos años su ambiente, su residencia, su obsesión. Escribió entonces *Aquí vivieron*, aventuras diversas ocurridas en las márgenes del Río de la Plata. Para muchos de nosotros el Río de la Plata es la Argentina y el Uruguay. Manucho se limitó a la Argentina y no comprendió nada del Uruguay, que tampoco lo comprendió a él. No intentó abrir el más mínimo intersticio que le permitiera adivinar la fascinación de Punta del Este, que sin embargo se apoderó de Rafael Alberti y de Alejandro Casona.

Manucho, incólume, siguió dejando a su imaginación crear y recrear a los personajes porteños de *Misteriosa Buenos Aires* y *La Casa*, para no citar toda su obra, más vasta que la de cualquier escritor, porque sus libros eran mucho más extensos que los que escribía la mayoría de los argentinos. Recordemos que aún era la época de los poetas, y el público empezaba a conocer con desgano al que después fue el símbolo del genio del país: Jorge Luis Borges, autor de cuentos cortos y de chispazos, por lo tanto también cortos, de sus genialidades. Sólo Mallea rivalizaba en su tesón y sus novelas extensas con la pluma incansable de Manucho.

Cuando me refiero a "la pluma incansable" no conformo una alegoría, porque Manucho escribía a mano —cosa para mí inexplicable, dada mi mala letra, empeorada por mi máquina de escribir— y con una caligrafía magnífica, comprensible, que lo llevó luego a convertirla en parte de sus dibujos geométricos con alguna hoja y alguna flor como complemento del texto.

Sería largo, y acaso inútil, dado que para eso hay recopilaciones, citar toda la obra de Manucho. Es necesario recordar, no obstante, que un día, en uno de sus viajes, conoció un lugar llamado Bomarzo que lo embrujó y escribió una novela con ese título, que puede contarse entre sus obras maestras. Fue transformada en ópera con música de Ginastera, aplaudida en Washington y Nueva York y aclamada en el Teatro Colón de Buenos Aires; donde con anterioridad la había prohibido un presidente-general ultramontano en nombre de esa sacrosanta moral que el país entero pisotea a diario según las tendencias de sus gobernantes.

Manucho fue la persona más supersticiosa que he conocido y sabe Dios que yo también lo soy, pero no hasta ese extremo. Como después de haber escrito *Invitados en el Paraíso* encontró en Cruz Chica una casa llamada "El Paraíso", pensó que allí estaba su destino y la compró. Por supuesto, ningún escritor argentino puede darse esos caprichos sólo con los derechos de autor de su obra, pero él tenía el apoyo moral y total de su mujer, Ana de Alvear, sostén incondicional de Manucho, sobre quien volcó todos sus sentimientos y a quien lo había unido desde jóvenes una telaraña de lazos sutiles que muy pocas parejas llegan a conocer.

Contaba Manucho cincuenta y nueve años cuando sus dedos se endurecieron por el reumatismo y le aconsejaron ir a vivir a un clima menos húmedo que el de Buenos Aires. Allí estaba esperándolo "El Paraíso" en las Sierras de Córdoba, como señalado por el destino.

Una vez Manucho me contó que después de esa larga y trabajosa mudanza con su ilimitada biblioteca, y perplejo porque jamás se desprendió de nada, por fin un día, exhausto y colmado, miró a su alrededor y se dijo con temor: "¿Y ahora qué hago yo aquí?" Los traslados y la instalación le habían impedido formularse antes esa pregunta. Pero ya instalado, sintió el vacío del silencio y lo desconocido. En verdad, entre la mudanza, la instalación y la desorientación primera Manucho dejó de escribir durante cuatro años. Ese trauma de la mudanza estudiado por los psicólogos es el único hueco que separa a uno de sus libros del siguiente porque escribía con tal celeridad que sus extensas novelas se sucedían con más rapidez que un cuento corto con otro cuento corto de cualquier cuentista, salvo quizá Maupassant.

Murió hace dos años. Lo lamento por nosotros, pero no por él, porque ya gozaba la vejez, época de la vida que me causa espanto ante la indignación de mis contemporáneos.

En cierta forma, el que ha dejado una obra escrita no muere jamás, salvo para los analfabetos. Manucho está aquí, hoy como hace tres años o cuarenta años. Yo lo siento muy cerca. No murió como se lo había predicho una de sus tantas adivinas en una casita blanca junto al mar sino en un caserón de las sierras de Córdoba. No obstante, él se apresuraba a dejar Atenas o cualquier otro lugar cerca del mar porque allí creía que lo esperaba la muerte. Como el jardinero de Isfahán, la hoz que iba a segarlo lo esperaba en Samarcanda. De ahí su sorpresa al verlo lejos del lugar de la cita.

Pero la geografía tiene poco que ver con la hora prefijada para nuestro alejamiento de este mundo; es una lástima, pues sería la manera más elegante y disimulada de suicidarse. Manucho no se hubiera suicidado jamás. Creo que interiormente se creía inmortal y no estaba muy equivocado, pues en cierto sentido lo fue, lo es y lo será.

Aún no ha sido apreciado en su justo valor aunque tuvo todos los premios literarios y fue académico de Letras. Pero algún día el mundo sabrá de él y de su obra. Entretanto nosotros nos hemos quedado con las manos vacías y el corazón lleno de ausencias. ¡Y pensar que hay quienes envidian a los sobrevivientes!

12

La bolilla que faltaba

Todo el mundo sabe que los escritores son proféticos y, en el último medio siglo, al punto de que siempre sus predicciones fueron superadas por la realidad. Basta leer cualquier libro de ciencia ficción para admitir esta aseveración. Huxley se quedó corto y si nos remontamos hasta fines de siglo pasado Julio Verne fue el gran visionario.

Apoyándome en tan ilustres antecesores afirmo que mi novela titulada *La bicicleta*, publicada a principios de diciembre, ha quedado aplastada como una oblea por el actual "Avión". ¿Sabe el lector qué es el "Avión"? Pues un juego que tiene enloquecido a todo Buenos Aires en el cual hay que ir a una reunión previa sin plata (por supuesto). Al día siguiente darle la suma especificada, hasta ahora seiscientos australes si es un avión basado en esa moneda, o mil dólares si es un avión en dólares, al piloto que por supuesto no da su nombre real: se llama Sagitario, Géminis, Bichito de Luz, Hoja de ruda, Blanca Nieves o lo que sea. El tal piloto gana así cuatro mil ochocientos australes y pasa a su lugar uno de los copilotos, pues el avión se compone originariamente de un piloto, dos copilotos, cuatro tripulantes, ocho pasajeros, pero al llegar a la mitad se divide en dos.

Por lo tanto es una cadena de la felicidad que si se corta hace perder mucho dinero a personas a menudo modestas, pues cada cual debe llevar para poder entrar sin mayores riesgos al menos a otros dos pasajeros que a su vez deben llevar otros dos cada uno, así sucesivamente. En verdad casi parece un trabalenguas y no lo es, pues conozco a varios que han ganado tres y cuatro veces y otros que deben admitir resignados que su avión "se pinchó"; para usar términos más exactos deberíamos decir que se estrelló.

El juego cunde con tal fuerza en nuestra Argentina porque no hay trabajo. Nadie produce, el producto bruto nacional está entre los más bajos del mundo y el que trabaja gana poco. En los países bien pagos la gente es trabajadora y emprendedora; en los países mal pagos la gente es holgazana, se tira al sol y masca coca. En el nuestro prendió la fiebre del juego alentada por los gobiernos que no saben de dónde sacar plata ni solventar el turismo nacional.

No es necesario remontarse hasta mi juventud

para recordar que no existía el PRODE, que la quiniela estaba penada por la ley y nadie soñaba con innumerables loterías provinciales. Ahora el Gobierno se iluminará, sin duda, no sé si éste o el próximo, y legalizará el avión, así como legalizó todos los demás juegos. Hace apenas cinco años no se permitía el Bingo.

Lo peligroso del avión no está en el juego de las personas mayores, conscientes o inconscientes, sino en que ya han comenzado los aviones para adolescentes, a cien australes, y para niños menores de catorce años, con diez australes. Las madres los azuzan para darles el gusto.

¡Pobre país! Recuerdo que cuando yo tenía dieciséis años, para que no leyera tanto y me quemara excesivamente las pestañas, mi madre me llevó a las clases de encuadernación de María Hortensia Palacio de Molina, que acaba de morir; aún tengo libros bien encuadernados por mí. También aprendíamos a hacer postres y a veces a cocinar, en serio, dado que aún el estudio estaba semivedado a las mujeres. Pero no jugábamos más que al ludo, cuando teníamos anginas con alguna anciana criada que se instalaba junto a nuestra cama.

Hoy no hay criadas ni viejas ni jóvenes que tengan tiempo para distraer a los niños enfermos y las madres a menudo tampoco pueden hacerlo. Pero se inventó el avión. Quienes hemos sabido que nuestro bisabuelo perdió todo Mar del Plata al juego desde Mar Chiquita hasta cabo Corrientes y un tío se pegó un tiro por deudas de juego nos estremecemos ante los que yo denuncié como *La bicicleta* y ahora se agiganta en el avión.

Todos vamos al Casino en algunas noches de verano, jugamos los tres cartones al Bingo y exponemos moderados pesos a la ruleta que nos duele perder así como en esas caprichosas máquinas tragamonedas. Pero somos mayores, lo que no impide que a la mañana siguiente recordemos ese fracaso con cierta amargura. Pero que en una gran ciudad el juego reemplace al trabajo, que los niños se envicien y crean que es así de fácil ganarse la vida, es demasiado grave para tomarlo a la ligera.

No considero que haya que culpar solamente a los jugadores sino a los gobernantes que no son capaces de crear fuentes de trabajo para personas de todas las edades. Aun los niños y los jubilados pueden ser artesanos; más de una vez hemos admirado en el interior la habilidad con que un anciano ahueca un trozo de madera para convertirlo en un mate y un niño pule otro para hacer una bocha. Los escritores saben que futuros colegas noveles pretenden que los grandes diarios les abran sus páginas y los editores importantes les publiquen su primer libro. La Argentina se ha convertido en el país del facilismo; y ganarse la vida en todas partes es difícil, pero hay que saber empezar desde abajo y pasar años duros: lo que llamábamos en mi juventud "andar con pantaneras'' y ''correr la coneja''. Hoy no hay paciencia aunque la vida se ha alargado, todos quieren comenzar viajando en un Mercedes, y, si no, entremos en el avión a ver si salimos de pobres. El juego se le dé la vuelta que se le dé es inmoral y se convierte en un vicio. No debe ser promocionado desde la pantalla del televisor sino desterrado de nuestra existencia, si es que deseamos tener una vida digna y merecer nuestro inevitable paso por el mundo. Nadie eligió nacer pero luego cada cual elige la huella que quiere dejar:

Caminante no hay camino
Se hace camino al andar.

Linda verdad dicha por el gran Antonio Machado. No envidio a quienes ganan en el juego. Compadezco en cambio a quienes no han encontrado cómo dar sentido a sus vidas transitorias, como toda vida, y para colmo inducen a sus hijos, a sus nietos, a depender del azar, que por lo general no suele ser benévolo.

A la larga, nosotros, los ''laburantes'', somos los únicos que aparte de tener dignidad tenemos dinero y la conciencia tranquila de no haber embromado a nadie, de que ninguno de nuestros billetes ha salido de un bolsillo incauto. Cualesquiera que sean nuestros gobernantes, actuales o futuros, sólo les pido que velen por forjar una Argentina próspera sin necesidad de recurrir al juego.

13

Nostalgias del diálogo médico-enfermo

Quienes hemos transitado épocas más humanas que las actuales y aún más aquellos que hemos sido hijos de médicos, sobrevivimos con asombro a la frialdad de la medicina actual. ¿Por qué alguien elige ser médico? ¿Y para qué? Ésa es nuestra pregunta. Ellos deben contestar o callar.

Empecemos por el principio. Un enfermo es un ser debilitado, temeroso de las limitaciones que pueden recaer sobre su vida y su trabajo y muchos de la muerte. Aunque es el mejor remedio para todos los males. Un enfermo se siente casi tan indefenso como un niño o un anciano. Un enfermo es un disminuido, por más que juegue "al canchero", pero si es lúcido sabe que ya no puede ganarle ningún round a la vida. En el mejor de los casos será un sobreviviente. Se dice que hay tres edades: la infancia, la juventud y la "de qué bien se te ve". Al enfermo a menudo se lo ve muy bien porque ha descansado más horas de las normales; si es mujer se ha maquillado con esmero y luce un lindo vestido. Pero por más vuelta que le den es un enfermo. Tiene por delante un espacio limitado de vida activa, menos activa y menos vida de lo que fue, pero si su lucidez aún no ha sido empañada recuerda con más agudeza que los sanos la transitoriedad de la vida humana y sus incontables molestias.

A menudo el enfermo llega a ver a su médico con las manos vacías, otras con análisis que ha descifrado perfectamente y que quizá no sean los adecuados. Sería conveniente discernir entre los enfermos jóvenes y los enfermos viejos (viejos son los trapos, dice la gente bien educada, pero un trapo viejo es más útil que un enfermo viejo). El joven sabe que sus posibilidades de ganarle a la enfermedad son infinitas; la persona mayor sabe que la partida está perdida aun antes de sentir los síntomas de una enfermedad riesgosa. Aquí empieza la relación antihumana actual entre el médico y el enfermo.

Hay médicos que lo confiesan, prefieren dedicarse al laboratorio y se preguntan qué hace en el sillón de enfrente ese señor o esa señora que les resultaría mucho más útil si pudiera convertirse en una rata. Sé de una señora mayor que temía estar en camino de convertirse en una lechuga a quien el neurólogo le recomendó un medicamento "que usa mi hijo de quince años que juega al fútbol''. Como la señora era más inteligente que el médico se preguntó por qué no se convertiría él en rata para permitirle escribir un cuento de ciencia ficción.

La mayoría no son tan desaprensivos, pero no saben a quién derivar a su paciente. ¿A un endocrinólogo, a un neurólogo, a un alergólogo? La lista es larga y las enfermedades son incontables como las estrellas. O se tiene ojo clínico como nuestros padres o un Norberto Quirno o se elige jugar al negro el trece o al colorado el catorce. El enfermo lee a través de las vacilaciones de su médico. Piensa que lo mejor sería poner un reloj sobre el escritorio, que marcara el precio de la visita según su duración, así él podría, si dispone de medios económicos, llevar lentamente a su médico a estudiar su caso con detenimiento. También podría ayudarlo con un diálogo veraz y constructivo. Lo apartaría de sus enfermedades crónicas para adentrarlo en ese nuevo mal que acaso sea el camino por el cual ya pasó la guadaña para abrirle paso o acaso el machete para que luego perfeccione toda la guadaña.

Pero el médico ya ha perdido la costumbre de dialogar con el enfermo. No es cuestión de retomarla cuando alguien puede ignorar las agujas del reloj. La habitualidad ha hecho mella en su cuaderno de citas y no se puede permitir que la gente se impaciente en la sala de espera. El diálogo es un lujo de otras épocas. Hoy hay que reemplazarlo con la televisión. El papel del médico es dar recetas, órdenes para análisis, radiografías, centellogramas, tomografías computadas, todo lo que el enfermo quiera pagarse, de lo contrario basta un hemograma y una eritrosedimentación para saber que no tiene cáncer y el resto se soluciona con aspirinas, antibióticos, tal vez vitaminas, aunque ya pasaron de moda, hierro o calcio. "De aquí a un mes pida hora y venga a verme a ver si ha mejorado." Quizá se muera a los veintinueve días, pero eso está en manos de Dios no del médico. Así como en los juicios de divorcio gana el más rico, porque los abogados no pueden eternizarse para cobrar sus honorarios, en medicina gana tiempo el médico que oye pero ni siquiera presta atención y no entabla un diálogo porque perdería demasiadas horas. El más humilde de los pacientes tiene un vecino a quien contarle sus cuitas; su consultorio no es un confesionario. Que lo dejen en paz.

Ah, esos médicos de antes, cuyos féretros eran llevados por hombres jóvenes deshechos en lágrimas y a manos de cuyas viudas llovían sobres con sumas que, al parecer, debían y nadie les había reclamado jamás. ¡Qué lejos ha quedado el tan mentado calor humano argentino de su medicina! Cuánto más constructivo es conversar con un mecánico que nos felicita por haber detectado a qué se debía ese zumbido del motor, que con un médico que no nos toma el pulso, no nos pone el termómetro, no nos mide la presión. Total todos podemos tomarnos el pulso, tener termómetros en la mesa de noche y comprar en la farmacia de la esquina un aparato para aprender a medirnos la presión. Lo sorprendente es que en cuanto internan a un enfermo, adustas enfermeras entran cada dos horas a tomarle el pulso, a ponerle el termómetro y a medirle la presión, y luego se alejan sigilosas llevando con ellas sus secretos, que no confían ni a la familia. En ese momento, justo a la hora de las visitas, entra la mucama para hacer la cama del acompañante, pero eso aporta no diremos divisas, pero sí modestos australes a las clínicas claudicantes. Diálogo: ni con unos ni con otros; silencio, caras de póquer y órdenes indiscutibles como en colegios pupilos.

Sólo nos queda rogar para que el diálogo nos sea devuelto; que la salud está en manos de Dios como lo estuvo nuestra entrada a la vida y lo estará a nuestra muerte, pero para encontrar el silencio nos queda la eternidad.

14

La soledad actual de los escritores

Leo en los diarios homenajes sentidos y responsables sobre muchos de aquellos colegas que han muerto, pero, por lo general, cada cual parece haber transitado solo su camino. Por fortuna, las cosas no eran así al final de la guerra mundial. Los escritores del mundo entero recalaban en nuestras costas y no los más humildes sino los más importantes.

Al releer pasajes de mis memorias y hojear las de otros colegas, pienso con melancolía en lo diferentes que fueron nuestras vidas en la década del '40 de lo que son ahora. No me refiero, por supuesto, a la falta de pareja, a las nostalgias del amor, a la pérdida del entusiasmo que guiaba nuestra vocación juvenil. La palabra entusiasmo viene de Dios. Nosotros teníamos a Dios adentro. Hoy no lo tienen ni los jóvenes ni los ancianos escritores. Dios nos ha abandonado en manos de amigos casuales, algunos pocos sobrevivientes de nuestra infancia, otros, hechos al azar de los viajes o de los veraneos, personas a menudo encantadoras, pero que no comparten ninguna de esas angustias que sufren quienes nacieron para ser creadores mediocres, talentosos o geniales, pero creadores al fin.

Intentar explicarle a alguien para quien la vida se justifica por sí misma y no le busca más explicaciones la culpabilidad que siente cada uno de nosotros cuando no quiere o no puede escribir, el temor de ya haberlo dicho todo y seguir usurpando un lugar en esta tierra donde no creemos haber venido para hacer ninguna otra cosa, es realmente imposible. De ahí que nuestra incomunicación sea el peor castigo que nos trajo el tráfago de la vida actual.

Leo en los diarios homenajes sentidos y responsables sobre muchos de aquellos colegas que han muerto, pero, por lo general, cada cual parece haber transitado solo su camino de escritor. Por fortuna, las cosas no eran así al final de la guerra de España y, sobre todo, después de la guerra mundial. Los escritores del mundo entero recalaban en nuestras costas y no los más humildes sino los más importantes.

Los argentinos también nos veíamos casi a diario. El Suplemento de LA NACIÓN de la calle San Martín era de por sí una tertulia. Cuando Mallea había terminado una conversación privada, los que estábamos esperando nuestro turno pasábamos a su despacho y allí hablábamos de literatura, siempre fervorosamente. Ninguna discusión degeneraba en disputa y todas las ideas eran respetadas, menos las totalitarias, supongo. Un escritor francés a quien le dijeron "Hay que intercambiar ideas", respondió: "Pierdo en el cambio". Pues allí todos ganábamos; era el pozo de la buena suerte.

En aquellas reuniones conocí a Leopoldo Marechal, a Francisco Luis Bernárdez, a González Lanuza y a tantos otros. Solía encontrarme con Manucho, mi amigo entrañable.

Yo veía casi a diario a Borges y a Pepe Bianco. La casa de Adolfo Bioy y Silvina Ocampo, un dúplex cuyas paredes eran sólo una sucesión de bibliotecas, estaba abierta a la hora de comer para esos amigos dilectos. Allí discutíamos con tanto fervor que casi podría decir con furia. Yo alzaba la bandera de los poetas franceses; Adolfo y Borges, la de los ingleses, Tomás de Quincey no podía ser comparado con Baudelaire sino por una hereje. Silvina contemporizaba porque, como todas las Ocampo y como yo, había sido educada en francés y lo contaba dulcemente en sus admirables poemas, a través de los cuales podíamos recorrer Adrogué, en donde las estatuas con "nostalgias de viajes y lunas delictuosas marcaron en sus pechos heridas arcillosas". Pepe Bianco era también decididamente francés. Él me inició en la lectura de Gide y de Jean-Jacques Rousseau. Yo le recitaba a Verlaine, a Baudelaire y ya repetía lo que diría al final de mi vida en esta tierra ingrata a la cual volví por deberes filiales: "Par delicatesse j'ai perdu ma vie". Rimbaud lo escribió a los veinte años y a los veintiuno prefirió no perderla, abandonar la poesía y enriquecerse en el comercio de algodón.

Pero quizá, de todo esto, lo que duró más tiempo en lo que a mí respecta fue mi amistad con Ricardo Baeza. Entre 1942 y fines del 46, en que me fui a Europa. Si hubiera pensado en algo más que en divertirme y deslumbrarme al reencontrar ese París que no veía desde el 36, en que había ido con mis padres, y conocer Italia, España, "tirando manteca al techo", según la perimida expresión de los años '20, pero entonces rediviva por el valor de nuestra moneda, habría podido enriquecerme sólo con comprar algún departamento por 5000 dólares en l'Avenue Foch tanto como Rimbaud navegando en balsas cargadas de algodón. No recuerdo haber dormido más de tres horas diarias durante la Semana Santa de Sevilla, pero sí recuerdo haber caído tuberculosa a la vuelta. No importa, era tan joven, tan fuerte.

En casa de Ricardo Baeza encontraba a María de Maeztu, "arrastrando el cadáver de Ramiro", según decían sus detractores, aunque ella se había volcado sinceramente en forma decidida hacia la derecha y coqueteaba con los nacionalistas argentinos.

Allí estaba Margarita Sarfatti, contando su Marcha sobre Roma al lado de Mussolini y declarando: "Come amante non é una gran cosa". Odiaba a Ciano y a Edda; hasta daba a entender que entre ella y su padre había relaciones incestuosas. Allí estaban Pablo Neruda y Delia del Carril, su mujer. Una o dos veces vi a Ortega y Gasset, pero yo era demasiado joven y demasiado tímida para intentar atraer sobre mí la atención de los grandes escritores. Hoy lamento no haber ahondado más en esas mentes lúcidas que podían haberme enseñado tanto.

Alguna noche comimos en lo de Pepe Bianco. Allí conocí a Murena y creo que a Girri. La madre de Pepe tocaba el piano horas y horas como mi abuela, que acababa de morir, y por eso me conmovía; la quería, podía comprenderla. Sus numerosas hermanas, sobre todo Mary, que vivía con ellos, y Carmen, eran todo cariño. Todavía en la década del '60 Antonio López Llausás nos reunía a menudo a almorzar en su casa a Manucho, a mí y a otros escritores. Olvido a muchos y tampoco deseo escribir una nomenclatura de escritores famosos. Mi intención es la que dije al comenzar: hacer saber a los jóvenes escritores de hoy que nosotros entonces no estábamos solos. ¿Lo están ellos? Hasta recuerdo, de pronto, que cuando me dieron una comida para festejar la aparición de *Bodas de cristal* habló Sábato y me saludó como a un nuevo valor que entraba en el mundo de las letras. Al referirse a mí solía decir que yo era increíblemente crédula e ingenua. Esto se debía, sin duda, a haber crecido en un hogar dichoso. Pues también a casa de mis padres iban escritores; allí conocí a Pérez de Ayala, quien al referirse a hacer obra en la Argentina decía: "Es como edificar en la arena. De noche viene el mar y no queda más nada". Allí comía casi a diario René Huyghe cuando estuvo en Buenos Aires y Gilles de la Tourette, además de afamadas personalidades médicas francesas.

No, no estábamos solos. No salíamos a comer con alguien por temor a comer a solas ni por llenar una noche hueca. Éramos selectivos y teníamos la posibilidad de serlo.

Creo también que en aquellos años teníamos mucho que decirnos, me refiero a nuestra vocación, a nuestro trabajo, a nuestro arraigado amor a las letras. Hoy parecería que no tenemos nada que decirnos. Comentamos las mismas mediocridades que los demás. Además, ¿cómo comentar su libro con un colega que cada cien palabras pone ochenta que hasta yo, que soy mal hablada, no me atrevo a pronunciar en público?

Quieren ser ricos antes que ser jóvenes. Vaya tontería, pues, como decía Baeza: "Cualquiera que se empeña en lograr algo con fuerza lo logra". En verdad se puede lograr ser rico, pero después de algunos años no lograrán ser jóvenes. La juventud no se recupera y la vejez es un sombrío pasadizo que sólo conduce hacia la muerte, aunque nos tostemos al sol, reeditemos viajes y vayamos a cócteles. Ni el mejor peluquero, ni los cirujanos plásticos, ni los injertos de células vivas, ni mil otros trucos nos devolverán uno solo de los años que hemos ido dejando tras nuestros pasos como Pulgarcito dejaba sus piedritas. Quizás alguien paciente pueda seguir nuestra huella, pero sería una imprudencia. Haría mejor en volver atrás: ya no vale la pena que nos encuentre. En todo caso, que nos busque en nuestros libros. Allí está nuestra única verdad.

15

El precio de la fama

En todos los países del mundo la fama tiene un precio, pero ese precio está en relación en mayor o menor grado con las ventajas que trae la celebridad, la popularidad, el éxito, la fama, como quiera llamársele. En la Argentina es un baldón que toda persona que haya hecho algo aplaudido por el público, comentado por la crítica, conocido por el pueblo tiene que llevar colgado del cuello casi como un estigma infamante.

Hace pocas semanas tuve la desdicha de verme mezclada en comentarios sobre la boda del escritor más importante de la Argentina; mi deseo era continuar mi campaña prodivorcista en la que estoy empeñada desde que sufrí en carne propia el desamparo que sufre en nuestro país la mujer por la carencia de una ley de divorcio responsable. Yo, afortunadamente, logré mi divorcio y disolución de vínculo, pero esta ley sabia fue tachada de un plumazo veinte días antes de que pudiera casarme con el hombre que ya era mi marido con papeles de México. Nosotros queríamos que todo fuera lo más legal del mundo, el país nos negó esa dignidad elemental a la que aspira toda pareja cuyo amor está cimentado sobre sentimientos hondos, una comunión física, espiritual y moral perfecta. Esa ley "suspendida" según el término ambiguo de un gobierno de facto creó problemas insolubles a miles de parejas y a todos los gobiernos que lo sucedieron: había que volver a luchar contra la Santa Inquisición.

A decir verdad, las vidas ajenas me importan poco y jamás me mezclo en chismes ni doy opiniones ni dicto cátedra sobre lo que los demás deben hacer. Los problemas propios, que no son pocos, me bastan y me sobran.

Soy divorcista porque creo en el matrimonio como único método de vida lógico, moral, natural y digno entre un hombre y una mujer. Porque creo que los hijos son más felices en un nuevo hogar que en el otro donde sólo han oído discusiones, portazos, experimentado soledades por la ausencia del padre y de la madre, que se van cada cual por su lado. Considero que la felicidad verdadera, la lotería, el Prode gigante, es ser feliz en el primer matrimonio, pero de los contrario debemos conformarnos con buscar una alternativa de vida en la cual quede definitivamente borrada la infamante palabra "concubina'' y las otras más fuertes que los demás usan para injuriar a la mujer que no está legalmente casada con un hombre, aunque no es culpa suya si vive en un país atrasado en el cual la Santa Inquisición le prohíbe aún rehacer su vida, formar un nuevo hogar. La gente que vuelve a casarse no anda en busca de aventuras transitorias, sino de un hogar estable. Esas mismas personas se habían casado la primera vez para toda la vida, pero su inexperiencia y la longitud actual de la vida activa les ha demostrado que ese sueño era irrealizable y ensaya por segunda vez. El mundo entero ha admitido esa realidad indiscutible.

Nuestro país carece de legislaciones válidas en diversos terrenos. En Francia, donde la inteligencia marca las pautas, un hombre jubilado de una edad provecta puede volver a casarse si le da la gana pero la ley no le otorga su jubilación a su mujer, sea la primera, la segunda o la tercera, pues se prestaría a toda clase de trampas y arruinaría las arcas del Estado. Eso me lo dijo un viejo amigo al que le pregunté por qué no se casaba con su amor platónico, dado que él tenía ochenta años y una jubilación altísima. Así me enteré de que no siempre ''hecha la ley hecha la trampa''. Sin embargo, él era soltero, solterón empedernido. Por lo tanto no le quitaba nada a nadie.

Considero no obstante que cualquier acto de amor debe ser respetado. Se decía que cuando el príncipe de Gales renunció a la corona de Inglaterra y por ende al Imperio Británico, para casarse con Wally Simpson, lo hacía porque nunca había podido sentirse hombre con ninguna mujer y su virilidad deslumbrante bien valía un trono.

Sin embargo, los grandes de este mundo que deben soportar las indiscreciones de los "paparazzi", como le ocurrió a Jacqueline Kennedy cuando se casó con Onassis, pagan un precio no demasiado alto en comparación con lo que les depara el destino. Lo mismo ocurre con todos los reyes, los príncipes, los actores de nota que sirven para llenar las revistas con fotos a todo color que hacen suspirar a las amas de casa y a las costureritas de barrio. Por supuesto, sería demasiado fácil poder jugar con el mundo como con una pelota y poder disfrutar de la misma intimidad que las personas anónimas atemorizadas por los difíciles fines de mes, las colas ante ventanillas atestadas, medios de locomoción incómodos y en el mejor de los casos algún viaje en clase turista y hoteles de tres estrellas. Todo privilegio se paga. ¿Pero qué privilegio pagamos los desdichados escritores argentinos desconocidos, salvo una excepción por la mayoría de los países, con libros llamados "best seller" porque al salir lo hicieron estruendosamente y nos permitieron vivir en forma holgada durante un tiempo determinado y economizar algunos dólares pasados por tamiz? Esta modesta celebridad local permite que cualquier transeúnte se nos acerque por la calle, en el Banco, en la fiambrería o en el restaurante para felicitarnos, privándonos así de nuestra intimidad. En Europa esto sería inconcebible. Uno reconoce a una por una de esas celebridades, pero no se acerca a ninguna pues nos mandarían a paseo.

La fama en la Argentina, en vez de ser una fuente de alegrías y de recursos, es un engorro más unido a todos los que ya padecemos. Como la semana parece contar con un solo día hábil —los lunes—, en que medio gabinete, la CGT, etcétera se reúnen para discutir sobre el aumento de 10 australes, si uno de nosotros aparece por televisión se vuelve pasto de las fieras. Yo he tenido que amenazar a periodistas que habían llegado hasta mi puerta con llamar a la policía si no se retiraban enseguida. Soy periodista, pero respeto la intimidad ajena y jamás, ni en mi luchada juventud me permití ir a ver a ninguna personalidad sin concertar una cita previa. Esa maldita fama amarga mi edad madura, perturba mi poder creativo sin duda ya disminuido por los años y no me aporta nada. Si fuera una escritora de éxito americana tendría guardas con perros, con walkie-talkie, televisión de circuito cerrado, detrás de rejas y árboles frondosos que defendieran mi intimidad. Como soy una pobre argentina con una gran popularidad local debo sufrir todos los asedios de aquellos que no advierten que no tengo armas para defenderme de su indiscreta insistencia. Esta pobre fama que apenas traspasó momentáneamente cinco o seis países del mundo para caer poco después en el olvido se ha convertido en una enfermedad que acelerará mi muerte; es la primera lápida puesta sobre mi tumba.

16

¡Está carísimo!

Una joven amiga con mucho sentido común dijo los otros días a algunas personas que se quejaban por los precios de Punta del Este: "Qué es esto de que aquí está carísimo? Los brillantes también están carísimos pero si uno no puede comprarlos no los compra". Yo, con moderada ingeniosidad después de darle la razón también dije que el caviar está carísimo, y el foie gras, y los visones y las chinchillas y los leopardos y que París y Nueva York, para qué hablar de Tokio, están carísimos.

A decir verdad podríamos seguir dando ejemplos hasta el infinito porque todos sabemos que es más caro comer lomo que tallarines y que sale más caro salir de veraneo que quedarse en su casa. Pero hay algo que los argentinos han olvidádo: es que Punta del Este nació y creció como un lugar exclusivo y elitista, que durante años se quejaron y lloraron a mares porque estaba invadido por la "mersa" y ellos, los exclusivos y exclusivistas, la elite y los elitistas se sentían desplazados.

¿Qué ocurrió entonces?, pues lo que tanto los aflige hoy: que está carísimo.

El argentino tiene un lado pueril que conmueve: quiere que el mundo se pliegue a las posibilidades de su bolsillo o en vez de tratar de que su bolsillo admita las reglas del juego internacionales y si no puede competir con ellas haga turismo en su magnífico territorio. Ignoro si Bariloche está carísimo, si lo están las sierras de Córdoba, nuestra costa Atlántica con diversas elecciones desde Mar del Plata hasta Mar de Ajó o Monte Hermoso.

Algunas personas consideran "una agresión" que el Uruguay no nos haya dado este año bonos de nafta para hacer turismo pero ocurre que este país no es productor de petróleo y probablemente esos bonos desequilibren su balanza. Si el no tenerlos desequilibra la balanza de los que veraneamos aquí nos quedan la caminata, la bicicleta, acortar el veraneo y muchas otras opciones pero hace muchos años que ni Francia ni Italia nos dan bonos de nafta para hacer turismo aunque algunos ignoran que nos los daban hasta la década del sesenta.

Aquí en Punta del Este cuyo eje laboral es Maldonado las personas que vienen a atender nuestra casa y los jardineros nos explican que ellos también deben pagar un precio muy alto por los comestibles pero sin lugar a duda resienten la escasez de turismo. Es el eterno enigma del huevo y la gallina. Si no hay huevos no hay gallinas pero si no hay gallinas no hay huevos. ¿Qué hacer? La respuesta queda para el próximo verano. Éste ha fracasado. El éxodo es notable y también lo son las boutiques vacías, los restaurantes con un solo turno, los cines donde sobran butacas y muchos signos más de un verano que hizo sapo. Naturalmente se cometieron algunos errores, como los de los casinos en los cuales me arriesgo a veces tímidamente y a la una de la madrugada estaba yo sola jugando en una mesa y todos reían. "Está jugando usted sola —decían algunos jóvenes simpáticos." "Es mi mesa particular" les contesté durante diez minutos hasta que tuve que irme también por falta de suerte. El cartón del Bingo a 4000 pesos que hubo que rebajar rápidamente. Pero como diría esa joven sensata, el casino como los brillantes también está caro.

El gran rival es Brasil. Oímos con ojos desorbitados a los que llegan de Florianópolis donde han pagado en un hotel con aire acondicionado, televisión en colores y otras comodidades siete dólares por persona. ¿No será más cuerdo abandonar Buenos Aires e irnos al Brasil en masa? "La comida te la regalan", nos dicen aunque saben que aquí es uno de los renglones más caros para una familia.

¿Qué hacer? La mayoría cortó por lo sano y en febrero quedaremos algunos solitarios que comemos poco y los pingüinos. Para colmo de males ni siquiera nos acompañan nuestras flores porque la sequía nos ha dejado sin jazmines, las hortensias están mustias antes de tiempo y las nubes nos impiden tomar sol pero ignoran que su misión primordial es deshacerse en lluvia. ¿No saben, acaso, que aquí el agua también está carísima? Y la electricidad aunque hay menos apagones que en Buenos Aires y el teléfono sobre todo si debemos llamar a larga distancia. Pero cuando se quejan del aumento de los impuestos me yergo como un tigre porque la cuenta de "alumbrado, barrido y limpieza" que llegó a fines de diciembre a mi casa me dejó sin reservas; es la más exorbitante que recuerdo en mi larga vida y la más injusta también. Si no supieron hacer sus cálculos a tiempo peor para ellos ¿por qué debemos pagarlos nosotros? Entre tanto los financistas nos confían eufóricos que además de los miles de millones que acaba de prestarnos el FMI está por prestarnos tres mil millones más. ¿Estamos todos locos? ¿Qué haríamos ustedes o yo señores si nos prestaran diez millones de dólares o un millón? Cambiarnos el nombre e irnos a vivir a una isla virgen del Caribe porque sabemos que jamás podremos devolverlos. Pero los países no andan en esas menudencias. Los préstamos no se devuelven, todo el mundo lo sabe, el aborrecido gobierno del aborrecido Estados Unidos cargará con las deudas de las cigarras del Tercer Mundo para que subsista la democracia, ¿a qué democracia se refieren? A la que nos pone en la lista negra si pensamos en forma distinta. Sí, ésa es otra menudencia, el individuo ya no existe, la forma de gobierno es lo que cuenta y lo esencial es no tener una nueva Cuba en Sudamérica. A nosotros nos queda saber que no sólo están caros los brillantes sino también los platos de lentejas por los cuales no hemos querido vendernos ni a los gobiernos llamados totalitarios que sólo atacaron a los subversivos y afortunadamente nos libraron de ellos, ni a los llamados democráticos que no atacan a nadie porque prefieren darnos la espalda: "La razón del más fuerte es siempre la mejor", dijo hace siglos La Fontaine en una fábula. El tiempo confirma estos axiomas.

17

Punto final

Después de un teórico punto final que más bien parece puntos suspensivos, respecto de juicios cuyas condenas no todos consideramos equitativas, pienso en infinidad de puntos finales que necesita el país.

La mayoría de la población se pregunta cuándo llegará el punto final a los teléfonos que no funcionan y a los que pese a haber pagado Megatel no son instalados en sus domicilios. En las noches de sueño plácido numerosos habitantes de Buenos Aires creen oír la campanilla de su teléfono sonar en forma rítmica y acompasada, y se ven levantando el receptor y hablando con un cliente o con un amigo sin que una voz iracunda interfiera ladrando: "Hijo de... querés cortar de una vez..." También imaginan que cuando levantan el receptor oyen la señal que permite marcar números en vez de chocar contra un silencio terco, inconmovible. Un amigo mío hizo poner un contestador automático que comienza así: "Lo felicito, pese a ENTel, usted ha logrado comunicarse conmigo, deje su mensaje, etc..." Yo tengo el teléfono más dócil, fiel y civilizado de la ciudad, pero todo periodista debe recoger las quejas de sus conciudadanos. Debo dejar sentado, sin embargo, que la tendencia a la queja ya es un mal endémico argentino y, tal vez, también deberían poner punto final a esas continuas recriminaciones. Casi toda Sudamérica sufre estos inconvenientes y hubo épocas de Europa en que esos aparatos infernales e indispensables parecían recién llegados de nuestras latitudes. Recuerdo algunas huelgas en París y algunos cambios de características que trajeron aparejados molestias semejantes a las nuestras.

No obstante, para no apartarme del tema, creo que nuestros gobernantes deberían ocuparse seriamente de poner punto final a los apagones, cada vez más reiterados, más largos, siempre por supuesto imprevistos y con esa sensación de impotencia que nos dan los males que provienen de complicadas fallas técnicas. ¿Cuánto durarán? ¿Tendrán un final o nos quedaremos a oscuras hasta el fin de nuestros días? Así como la semana anterior pensamos que nos quedaríamos incomunicados para siempre. Y la prisa por llenar la bañera porque iba a faltar el agua, y la imposibilidad de distraerse mirando televisión justo hoy en que daban un capítulo de la mejor serie del año.

A decir verdad, como me dijo cierta vez un amigo, "ésos son problemas de capitalistas". Porque hay otros puntos finales que necesitan ser tratados con urgencia como el de las inundaciones en los barrios precarios por la carencia absoluta de sistema cloacal, los chicos que chapotean en aguas servidas mientras los padres, angustiados y conscientes, piden ayuda desde la pantalla chica.

Tampoco considero ocioso referirme al tema de las jubilaciones, cuyos montos irrisorios deberían ser una de las preocupaciones constantes de quienes saben tan bien como cualquiera de nosotros que con ciento veinte australes no puede comer ni un faquir.

Cada uno de esos puntos finales a los que me refiero me recuerda a Discépolo cuyos tangos inmortales acuden a nuestra memoria cuando "la suerte que es grela" y el siglo veinte merece llamarse Cambalache.

Vuelvo a mis puntos finales al pensar en los asaltos reiterados a los colectivos, a la indefensión de los ciudadanos de un país en que no se puede retener a nadie más de veinticuatro horas en procura de antecedentes.

Vivir se ha convertido en una tarea difícil, ardua; es un temor ininterrumpido. Las mujeres dejan languidecer sus joyas en las cajas de seguridad de los Bancos mientras usan fantasías porque los ladrones son tan descorteses que en vez de pedir: "Señora, por favor, déme su Rolex si no quiere que la achure'' comienzan por romperle la cara y luego le arrancan el reloj que ella hubiera entregado sin esperar la agresión.

Ocurre que agredir se ha convertido en un deporte argentino. Acaso sea como esas cadenas que hacen que el agresor transmita su carga de agresión al agredido y como la mordedura de los dientes afilados de Drácula impiden recuperar la verdadera identidad.

Lo más doloroso es no poder decir que todo hombre fue un niño alegre, un joven enamorado y pletórico de ilusiones porque gran parte de esos vampiros a los que me refiero son delincuentes juveniles y si bien es imposible poner punto final a la delincuencia de los adultos habría que luchar para terminar con la delincuencia juvenil.

De aquí a dos o tres meses también clamaremos para que se ponga punto final a la escasez de gas en los días muy fríos mientras se queman a diario sobrantes mal encauzados.

¿Y no sería ya hora de poner punto final al doble mercado cambiario dado que el paralelo está aceptado oficialmente? Pero al parecer, a nuestros gobernantes les gustan más los puntos suspensivos mientras nosotros soñamos con esos puntos finales, los que no traerían injusticias ni resentimientos sino que mejorarían la condición de cada habitante de nuestras tierras. Pero entre todas estas opciones la más fácil es juzgar al prójimo. El Gobierno tiene en la manga uno o dos ases que sacará a relucir al acercarse las elecciones para que pese a nuestra proverbial mala memoria nadie pueda olvidar las perversidades de otro partido mayoritario.

Si me he referido a los colectiveros y a sus pasajeros asaltados, a las injuriosas jubilaciones y a la delincuencia juvenil que se cría como los renacuajos en las zanjas de las aguas servidas es porque aunque no desestimo algunos aciertos espectaculares de nuestro gobierno en materia financiera es porque tengo la impresión de que contrariamente a la imagen que el país tenía de ellos cuando fue a las urnas está gobernando para los ricos y no para los pobres. El peligro consiste justamente en que hay muchos más pobres que ricos, cosa que también olvidó Chirac y, por eso, cundió el descontento en Francia. Y nosotros, al señalar los puntos neurálgicos que hay que mejorar o atacar, deseamos hacer crítica constructiva; sé que en forma inmediata duele tanto como la que pretende destruir pero en forma mediata puede salvar a un gobierno y junto con él a un pueblo y a un país: el nuestro.

18

Sonríe y llama a otro japonés

Los orientales son tanto más educados que nosotros, al punto de no resistir ninguna comparación, que nunca dicen "no". Cuando tuve el honor de ser huésped oficial del Japón quise en diversas oportunidades cambiar fechas y programas.

Ignoraba que nadie por pertinaz que sea puede oponerse a ciento veinte millones de habitantes. Uno presenta sus argumentos, por lo general valederos, a un interlocutor que sonríe y llama a otro japonés; repetimos nuestra monserga y el señor afable y suave sonríe y llama a otro japonés; esto puede repetirse hasta lo infinito a tal punto que sólo conseguí ganar un round cuando le dieron el Premio Nobel a Kawabata y expliqué lo importante que era para mí estar en Japón en ese momento y poder aprovechar el intérprete de *Le Figaro*. Respecto de cualquier otro cambio fueron firmes, corteses, irreductibles, sonreían y llamaban a otro japonés. Esto viene a cuento porque es la actitud, acaso aprendida durante sus viajes a Oriente, de nuestros funcionarios.

También podríamos compararlos con ese viejo chiste: "¿En qué se parecen un diplomático y una señora? En que cuando la señora dice *no* quiere decir *puede ser*, cuando dice *puede ser* quiere decir *sí*, cuando dice *sí* no es una señora. Si el diplomático dice *sí* quiere decir *puede ser*, cuando dice *puede ser* quiere decir *no*, si dice *no*, no es un diplomático."

No he llegado después de las elecciones a ver, salvo en televisión, a ninguno de nuestros actuales gobernantes de fuste, pero aquellos que deben servirles de escudo sonríen y llaman a otro japonés, que sonríe y llama a otro japonés y aunque nuestra población es al menos cinco veces menor que la japonesa no podemos esperar que desfilen treinta millones de habitantes sonriendo y llamando a otro argentino, ni a otra señora, ni a otro diplomático que digan *puede ser* cuando reclamamos un sí o un no rotundos.

A esta altura de mi discurso cabe preguntarse qué atribuciones tiene cada uno de nuestros funcionarios, aun aquellos que lucen títulos rimbombantes en sus tarjetas de visita, títulos y funciones que también preceden sus nombres para señalar su presencia en el balcón, en el salón, o aun en las escalinatas de la Casa Rosada, del Congreso o de esos extraños actos preparados para ilustres visitantes que, por supuesto, se volverán a sus países sin tener la menor idea, como le ocurrió al Padre Santo, de qué se llama cultura en la Argentina.

De todos los disparates que hemos presenciado en los últimos años, ninguno alcanzó las dimensiones gigantescas de ese encuentro de la cultura al que fue invitado el Papa en el Teatro Colón.

Vamos, señor Presidente, ¿es verdaderamente necesario ser radical para pertenecer al mundo de la cultura? ¿Nos teme usted tanto, a nosotros, desmantelados, desarmados, ofendidos y humillados, tachados de un plumazo si nuestro nombre no figura en la lista del partido gobernante, aunque muchos figuremos en el padrón de otros partidos muy, pero muy democráticos, liberales, valientes, perdedores por vocación, no por vocación de fracaso, no confundamos, sino porque sabemos que muchos partidos chicos sin posibilidades de triunfo resonante son los verdaderos pilares sobre los que se yerguen las valiosas democracias?

Por supuesto, si un funcionario lee estas líneas se limitará a sonreír y a llamar a otro japonés que sonreirá y llamará a otro japonés que sonreirá... y como en los cubos con que jugábamos en nuestra infancia o en las muñecas rusas siempre quedará alguna más reducida que seguirá sonriendo en su caparazón de madera pintada.

No pretendo que nuestra cultura sea comparable a la de Francia, a la de los Estados Unidos, a la de Italia, a la de Inglaterra, tampoco lo son nuestros armamentos, tuvimos la prueba dolorosa en carne propia. En nuestro pasado carecemos de un Renacimiento y hasta de una Edad Media. En el siglo de las luces San Martín debía pasar los Andes en angarillas escupiendo sangre para liberarnos. ¿Pero ignoran nuestros gobernantes el fervor de los visitantes a la Feria del Libro? ¿Ignoran que un escritor conocido no puede dar tres pasos sin que lo reconozcan, lo feliciten, le pidan permiso para abrazarlo? No lo ignoran, quieren ignorarlo pero lo que ignoran y también quieren ignorar es que esa ignorancia estuvo a punto de llevarnos a una guerra civil y que ninguna democracia puede sentirse afianzada si sólo se apoya en un puñado de correligionarios tambaleantes, siempre los mismos en la pantalla chica a tal punto que el público ya prescinde de sus programas favoritos porque "los ve hasta en la sopa", según afirman muchos usando nuestra expresión popular.

Todos queremos seguir viviendo en una república, al amparo de la Constitución y saber que, como dicen los norteamericanos "si llaman a la puerta a las seis de la mañana sólo puede ser el lechero". Pero quisiéramos una mayor participación de todos los sectores sin que los funcionarios sonrían y llamen a otro japonés y cuando esos funcionarios cambian los demás repiten obsecuentemente la misma estrategia.

19

La inmoralidad de los divorciados antidivorcistas

Hace pocos días estuve con uno de los miles de divorciados y vueltos a casar que no quiere saber nada con la ley de divorcio. ¡Están tanto más cómodos así! La ilegalidad es la aspiración de todo sudamericano de menos de ochenta años. O de cien.

Ese señor, lleno de encanto por cierto, que tiene de su segundo matrimonio sin leyes tres hijos entre diecisiete y catorce años me dijo: "¿Para qué querés un papelito... qué va a cambiar tu vida un papel?" Por supuesto que cuando se casó por primera vez lo hizo con todos sus papeles en regla y su libreta del registro civil. Yo le contesté: "La vida de cualquier persona civilizada está basada sobre papeles". Yo no puedo votar sin mi libreta cívica, no puedo conducir mi coche sin mi registro de conductor, no puedo viajar al extranjero sin mi pasaporte y si es necesario otro papel llamado visación, no puedo hacer ningún trámite ni para pedir un teléfono sin mi cédula de identidad, no puedo pedir un auxilio mecánico sin mi carnet del ACA. No puedo pagar sin plata o mi tarjeta de crédito. No puedo hacer un cheque sin una chequera. No me pueden enterrar sin mi partida de defunción. No puedo iniciar una sucesión sin la partida de nacimiento de mis padres y la mía. Afortunadamente como creo en lo que vos llamás "un papelito" puedo vender, comprar, viajar, manejar mis bienes sin permiso de nadie. Porque lo que ignoran los católicos fervorosos, los ultramontanos, es que nadie es tan contrario a la ley de divorcio en la Argentina como los divorciados y vueltos a casar. Un divorcio lícito es una aberración para quienes se han criado con dinero negro, matrimonios sin papeles e ilegalidad legislada.

Hace pocos meses leí estando en Punta del Este un proyecto de ley de divorcio que me hizo desternillar de risa. Creo que el autor era Vanossi. Si me equivoco le ruego lo haga saber sin adjetivos injuriosos. Esa ley proponía que hubiera dos maneras de casarse: una con la posibilidad de divorciarse, otra sin ella. Esto raya con lo demencial. ¿Para qué casarse si se parte de la base que habrá de divorciarse? Todos nos hemos casado para toda la vida, con misa de esponsales, con monseñor Caggiano, con una fiesta carísima, participaciones, regalos, luna de miel y la mar en coche.

Me detengo a reflexionar. ¿Cree seriamente el autor de ese proyecto que una chica de veinte años y un chico poco mayor pueden llevarse a toda la familia por delante y pedir ser casados por la ley que permite el divorcio? En primer lugar ellos no saben nada de las posibles incompatibilidades físicas, morales, intelectuales de una pareja. A decir verdad casi no saben lo que es una pareja aunque hayan hecho el amor torpemente en un hotel alojamiento. Los demás se aferran aún a la virginidad y saben todavía menos de un olor, un ritmo que podría llamarse la inteligencia sexual y la simpatía de los cuerpos, de un tipo malhumorado al despertar, una barba sin afeitar, una chica que al convertirse en mujer es como una crisálida que se convierte en mariposa; infinidad de obligaciones fastidiosas que no soportaban en casa de sus padres, la cuenta de la luz, del gas,del teléfono, el mercado, la empleada que vive por la Loma de los Porotos y pasa tres semanas sin venir, el embarazo con sus languideces y sus vómitos, la maternidad que de pronto se descubre no es una vocación de todas las mujeres ni es la paternidad la vocación de todos los hombres. Sé fehacientemente que pese a su personalidad mis padres jamás me hubieran permitido casarme bajo una ley que contemplara el divorcio y por supuesto la Iglesia no habría admitido casarme. Sé que me casé para toda la vida, durante diez años luché para no divorciarme, lo mismo le ocurrió a mi marido. Nos queríamos pero la incompatibilidad era manifiesta.

La ley de divorcio debe ser tan rígida como la del primer casamiento. Aquellos que se "rejunten" y no quieran volver a casarse por ley deben soportar sanciones y advertir que las sufren sus hijos. El casamiento no es una aventura; para los católicos es un sacramento, para el resto de las parejas del mundo es un contrato civil. Pero ese contrato ha de ser obligatorio, el que no lo cumpla será censurado. Ni las ventas de propiedades, ni las locaciones, ni los arrendamientos suelen hacerse por sobre la cabeza de los intermediarios, se pagan fuertes comisiones, hay "papelitos" como diría mi amigo que no se pueden pisotear. Yo viajo con mi fotocopia de casamiento, al margen mi divorcio y en el otro margen mi disolución de vínculo cuando tuvo vigencia. De lo contrario me sería imposible desenvolverme en cualquier trámite legal.

La Iglesia tiene derecho a excomulgar a los divorciados y vueltos a casar. Pero la ley debe censurar a quienes no hacen lo posible y lo imposible por legalizar un nuevo vínculo. El señor del "papelito" tiene en orden la libreta de su primer casamiento, pues que tenga en orden la segunda o que advierta cómo lo pagan sus hijos. De lo contrario caemos en esas indignas leyes de concubinato y en el desdén por la pareja humana, sagrada como Adán y Eva antes de que existiera el matrimonio.

La ley de divorcio no es compulsiva pero debe

serlo cuando un hombre y una mujer cultos, de clase media o alta, se han unido y no quieren pasar por el Registro Civil. Tan compulsiva como lo es para darnos un pasaporte o un diploma en la Universidad. La trampa, esa ley de la selva que hoy nos rige, no puede seguir siendo el denominador común. Así como van a una casa a preguntar por qué no están inscriptos los servidores en la Caja de Personal o de Servicio Doméstico deben ir para saber por qué los padres de esos chicos se niegan a casarse dado que hace quince o veinte años que viven juntos. Las leyes se acatan, por eso deben ser dictadas. Por esto los que están contra la ley de divorcio fomentan la corrupción, ayudan a estafar al fisco y a cometer otras tropelías.

Los motivos que empobrecen a la Argentina aparte de la sobredimensión del Estado son innumerables, entre ellos la debilidad de sus leyes previsionales. De ahí que los jubilados reales se mueran de hambre.

El divorcio, señores antidivorcistas, es la única manera de desenmascarar a las parejas responsables y a las irresponsables. No hablo por mí: yo calcé justo cuando la disolución de vínculo y no tengo ni edad ni ganas de volver a casarme. Hablo en nombre de una juventud educada en la inmoralidad causada por la carencia de leyes morales aunque no coincidan con las de la Iglesia Católica. Pero la moral es una sola cualquiera que sea la fe que se profese.

20

¿Cultura democrática? ¿Qué es eso?

En el último año se bate cada vez más el parche sobre la tan mentada cultura democrática. Ya nos hemos sorprendido a menudo con la manía actual de usar la palabra democracia con todas las salsas sin advertir que en vez de fortalecer esa palabra tan clara y digna se la vuelve confusa y manoseada.

Respecto de la cultura, emplear a troche y moche la palabra democracia es una aberración. ¿Ignoran nuestros gobernantes que las artes y las letras han florecido con fuerza inusitada bajo gobiernos autoritarios? Basta recordar el florecimiento de Francia bajo sus distintos reyes. Para mencionar a algunos debemos señalar que Francisco I fue el rey del Renacimiento francés y que sobre todo bajo Luis XIV surgieron los escritores hoy llamados clásicos: Corneille, Racine, Molière; arquitectos como Lenotre que dejó para la posteridad ese castillo sin par llamado Versalles.

Los mecenas existieron bajo los regímenes monárquicos pero jamás hubo ninguno bajo un régimen democrático. Hablar de mecenas sería una pretensión excesiva, pero lo menos que podríamos pedir sería una mínima libertad en materia económica que permita desenvolverse con fluidez a las empresas editoriales para que así ganaran también menos estrechamente su vida los libreros y los escritores. Poner precios máximos a libros de texto puede tener un sentido aunque antes de hacerlo sería preferible que los responsables se empaparan de los costos y de la mínima ganancia que tiene derecho a pretender un empresario, pero poner precios máximos a novelas y a otros libros de ficción cuya compra no es indispensable es una aberración. El que quiere leer un libro no se fija por lo general en uno o dos australes de diferencia y aún más si se trata de una lectura deseada, ¿por qué entonces el Gobierno se entromete en lo que para hablar con crudeza, no le incumbe? ¿Le importa tanto a cada uno de nuestros jerarcas el bolsillo del ciudadano? ¿Pertenece acaso el libro a la canasta familiar? Sabemos que no. Por otra parte dado el recrudecimiento de la inflación vuelve imposible vender la segunda, tercera, cuarta o quinta edición casi al mismo precio que la primera.

Respecto de las artes plásticas debemos subrayar las dificultades que encuentran los artistas para sacar sus obras del país y para volver a entrarlas.

Lo único que parece merecer llamarse cultura para nuestra democracia actual es la música. Lo mismo que en la Unión Soviética. El temor a las ideas hace que expresarlas no sea redituable; en cambio el ballet, la música en todas sus formas desde la clásica hasta la folklórica, llena de gozo a nuestros jerarcas culturales. No importa que para difundirla haya que pisotear céspedes, desgarrar plantas, turbar el silencio de los paseantes solitarios que desean pensar bajo un árbol frondoso y lo que es más grave, el sueño de los vecinos, muchos de ellos enfermos, ancianos, agonizantes quizá, niños, gente que debe madrugar para ir a su trabajo. Que se pongan tapones en los oídos pero que la música aturda y convierta en sordos a los habitantes de Buenos Aires.

Esos conciertos que pasan como el caballo de Atila sobre nuestra ciudad son gratuitos. Por lo tanto los encargados de nuestra cultura se creen cumplidos y con derecho a poner precios máximos a los libros. A decir verdad el precio máximo es una manía entre nosotros aunque no existe en ningún país democrático del mundo.

Pero nosotros debemos ser protegidos en nuestros bolsillos, en nuestro pudor, según quienes califican las películas, en nuestra alcoba de la que no nos dejan alejarnos metiéndose en nuestra intimidad. No somos hombres libres, no podemos hablar de democracia si lo único que conocemos de veras desde hace muchos años son prohibiciones.

La cultura democrática o la democracia sencillamente hablando no admite nuevas inquisiciones ni la repetición de las viejas. Sin embargo nuestra vida está reglamentada como en un cuartel. La palabra congelamiento impuesta a todas las actividades sin ni siquiera estudiar el costo de producción —cosa que sería demasiado largo y engorroso y requeriría asesores idóneos y no amables correligionarios— es una aberración que no condice con ningún régimen democrático. Pero se elige el camino más fácil, defecto corriente en los argentinos y son innumerables los gobiernos que han querido detener la inflación con la recesión; cambiar de un plumazo el destino de millones de seres que contaban con una renta que les permitía vivir y de la noche a la mañana se encuentran casi en la indigencia. El Gobierno con mano firme y certera les señala el camino del mercado negro y parece reprochar a quienes han creído en el austral y en la posibilidad de refugiarse honestamente en las altas tasas de interés que han sido unos "otarios", que ya debían haber aprendido hace años la lección. Después de haber visto por televisión a varios ministros y haberlos oído decir desde hace treinta años "El que compre dólares va a perder" ahora la irónica sonrisa de nuestro gélido ministro de economía les sugiere que haber creído en él y en su flamante moneda se equivocó que se embrome "por gil", como diría el tango.

La población está desorientada pues otra vez se siente obligada a votar por la opción. ¿Cuál de los dos grandes partidos que se reparten los votos será más democrático o menos? Para consolarnos nos queda la cultura democrática, al menos como no sabemos qué es, podemos esperar una sorpresa. Pero ya les tememos tanto a las sorpresas... Y canturreamos entre dientes el tango Bronca: "Y así mueren los laureles que supimos conseguir". Mientras nos resignamos a terminar nuestra vida en la lista negra, cosa que ya nos ocurrió, salvo intervalos, durante cuarenta años a los que tenemos la dignidad de no callarnos aunque sabemos que bajo esta cultura democrática pocos son los llamados y aún menos los elegidos.

21

Despedida a Simone de Beauvoir

Quizá si no la hubiera conocido personalmente su muerte me habría impresionado menos. Pero sin embargo, lo que más me dolió fue ver la manera despreocupada, indiferente y escueta con que dieron la noticia en los dos canales de televisión cuyos noticieros puse uno a las siete, el otro a las ocho.

Sólo en el de las doce de la noche un locutor le dedicó algo más que cuatro frases escuetas y sin cometer el error del primero que citó entre sus obras "Ceremonia secreta" en vez de "La ceremonia del adiós".

Cuento entre mis blasones el honor de haber traducido sus mejores libros. Admirable oficio el del traductor que conoce ambos idiomas a la perfección, no ignora la gramática, ni se apresura en terminar esa labor creadora que nos pone en comunicación íntima con el autor traducido y elegido. Porque jamás traduje a un autor que no me gustara o me apasionara. Desgraciadamente el traductor argentino está demasiado mal pago para elegir entre escribir su propia obra si tiene éxito o seguir sumergiéndose en las delicias de traducciones de obras maestras. No obstante, ni siquiera al hundirme en la intimidad de mis personajes propios me sentí tan feliz como cuando traduje "La invitada", "Todos los hombres son mortales", "Los mandarines", "Memorias de una joven formal", y tuve la dicha de que algunas personas que conocían el francés a fondo, por no poder encontrar el original en la Argentina y verse obligadas a leerlo en español, me dijeran que no habían sentido ninguna molestia sino que habían logrado la comunicación total con el autor como si lo leyeran en su idioma original. Después mis libros comenzaron a tener demasiado éxito y a redituarme sumas importantes como para sacrificar todo por seguir el camino de la traducción minuciosa. Sin embargo, fue gracias a mis traducciones que conocí a Simone de Beauvoir.

Sena, Rive gauche

Nunca olvidaré nuestro encuentro en un café a la orilla izquierda del Sena, a pocos metros de Gallimard. Llegué minutos antes que ella y aún la veo entrar con su falda negra acampanada, su blusa blanca de mangas largas, muy sencilla, un cinturón casi invisible y su cara sin maquillaje encuadrada por el pelo apenas canoso sujeto en un rodete sobre la nuca.

Tanto Simone de Beauvoir, Sartre y los demás "mandarines" como ellos mismos se denominaban y que puede ser traducido como "personajón", eran de difícil acceso. Únicamente Albert Camus era sociable, refinado, "gourmet", le gustaba la buena bebida, salir a bailar y disfrutar de la vida; acaso presentía que moriría joven.

En cuanto nos sentamos a conversar, Simone de Beauvoir se mostró afable, interesada por mis traducciones de sus obras de las cuales le habían llegado buenas referencias y, contrariamente a los demás escritores que he entrevistado, parecía con menos ganas de hablar de sí misma que de mí. Me dijo que no representaba mi edad, tenía yo entonces cuarenta y cuatro años, y que era muy bonita. Me llevaba casi ocho años. Después de algunas generalidades y amabilidades de ambos lados, me contó algunos detalles de su vida. Una de sus peculiaridades era su falta de deseo de poseer una biblioteca; esto lo supe cuando le dije que mi problema en cada instalación eran los libros: "¿Para qué conservar los libros que nos interesan poco y sabemos que jamás vamos a releer? Nosotros tenemos dos estantes en los cuales están los volúmenes que nos interesan mucho. Diccionarios también, por supuesto. Lo demás sobra. Piense un poco y dígame cuántos de sus libros ha releído usted o desea hacerlo.'' Asentí algo asombrada porque la imaginaba sumergida bajo una pila de papeles.

Con Sartre

La conversación derivó, mientras almorzábamos, hacia sus relaciones con Sartre. Le pregunté por qué no se habían casado y si pensaba hacerlo. ''No tendría sentido —me dijo—; uno debe casarse cuando quiere tener hijos. Pero ninguno de nosotros dos quiso nunca tenerlos. Por otra parte, ahora sería demasiado tarde. ¿Pero para qué sirve el casamiento en sí mismo?'' No esbocé siquiera las razones de la burguesía como herencias, gananciales o jubilaciones, pero le contesté: ''Es mucho más cómodo cuando uno llega a un hotel. Por ejemplo, en los Estados Unidos no estar casado crea problemas en los hoteles.'' Reflexionó un instante y me contestó: ''Eso es verdad. También a los aduaneros les caen mejor las parejas casadas; cuando éramos menos conocidos tuvimos algunos problemas en las fronteras y hoteles de España, en algunas aldeas de Italia, en ciertos países del Este. Pero ya todo eso, para nosotros al menos, está superado y creo que también para la mayoría de la gente.''

Por supuesto, dada su idiosincrasia y la mía la conversación cayó en un tema que nos perseguía a ambas: la muerte. Yo había perdido a mi marido tres años antes, por la cual hui de mi casa y me fui a vivir a París. No me consolaba aunque aborrezco a la gente que no termina de lloriquear sobre sus penas. Yo siempre finjo haber olvidado. Cuando era muy joven Borges escribió: "Para Silvina Bullrich la felicidad es un deber". Como dicen los actores, creo que el circo debe seguir. Por lo tanto le pregunté a Simone de Beauvoir qué sentía ante la idea de la muerte.

—La muerte me aterroriza —me dijo seriamente—; me parece imposible dejar de ser, caer en la nada. Pero no se equivoque, no temo morir mañana o el mes próximo, porque frente a la eternidad ¿qué importancia tiene vivir treinta años o setenta? El abismo está allí, ineludible. Creo que ésa es una de las razones por las que me sentiría culpable si mandara hijos al mundo, a la vida, es decir, a la muerte.

Libro de bolsillo

Conversamos un rato más y yo le entregué "Bodas de cristal" que acababa de aparecer justamente en aquel momento, en abril de 1960. Por una extraña coincidencia se lo dediqué justamente un catorce de abril de hace veintiséis años. Me auguró mucho éxito. Lo tuve. Las críticas fueron más que elogiosas y al agotarse la edición original pasó al libro de bolsillo de la colección Livre de Poche de Flammarion.

Como es natural, hice la pregunta de rigor, un poco tonta, dirigida a un escritor, sobre qué estaba escribiendo. Hizo referencias vagas a su trabajo, pero me dijo que nunca más escribiría una novela; era un género que ya no le interesaba, por eso estaba redactando los tomos de sus memorias, el primero de los cuales yo había traducido.

Me sorprendió que ya no le interesara la novela y le pregunté la causa: "Es un género en cierto modo juvenil —me dijo—. Yo ya tengo más de cincuenta años y no me divierte inventar personajes, mover los hilos. Siento la necesidad de penetrar en mí misma. Mi vida es más rica que cualquier novela. Piense: la guerra, la resistencia, Sartre y el horror de haber presenciado el nazismo, el racismo. Aunque todo eso está en mis novelas", agregó sonriendo cuando yo esbozaba la respuesta que era justamente ésa.

Durante nuestro corto almuerzo nunca miró su reloj y no sé siquiera si llevaba uno, pero comenzó a mirar atentamente la puerta. Le pregunté, después de haber percibido algunas de sus miradas ansiosas, si esperaba a alguien: "Sí, espero a Cayatte. Quiere hacer un film con uno de mis libros; creo que será *Los Mandarines*." El filme nunca se hizo, pero Cayatte apareció en el umbral del café.

Lo más importante

—Perdóneme —me dijo Simone de Beauvoir—, pero tiene que comprender que para mí esto es sumamente importante.

Nos despedimos afectuosamente, prometimos volver a vernos y no nos vimos jamás, aunque años después la llamé en Roma y me contestó que la disculpara pero estaban de vacaciones ella y Sartre y no quería ser perturbada, que en todo caso la llamara en París. Conozco demasiado a los grandes escritores franceses y sé que por lo general les basta una entrevista con sus colegas, traductores, periodistas, pero saben que son los "mandarines" de la cultura universal y no desean malgastar su tiempo. Hoy comprendo que tienen razón, dado que yo misma, una hormiga comparada con ella, me fastidio terriblemente cuando pretenden perturbar mis vacaciones para sacarme fotos o hacerme un reportaje. Mi amor por Francia y por quienes han hecho y hacen su cultura no me ciega. He atendido días enteros a Nathalie Sarraute en Buenos Aires, a Roger Ikor, en otra oportunidad en Europa a Ionesco, pero cuando una los llama en París siempre están con un pie en el avión rumbo al Japón o a las islas griegas. Por otra parte, no es un pretexto, es una verdad, igualmente valedera si fuera mentira, porque los días del escritor son cortos para hacer su obra y contados como los de cualquiera, pero la sensación compulsiva de tener que cumplir con ese deber impide que uno se sienta con derecho a disponer de sus horas como otro mortal. Es un mandato al que se debe obedecer. Esto me hace acordar que un día en que hice esperar cinco minutos a Julien Green por problemas de tránsito me dijo como disculpa por concederme una entrevista tan corta: "Tengo una obra que hacer". Por supuesto, era su misión y el frecuentar a la demás gente no es problema de escritor.

Su único pecado

Simone de Beauvoir, pese a sus palabras, escribió años después una obra de ficción llamada "La mujer quebrada" y era prescindible. Ella, la mejor novelista del siglo XX entre las mujeres y una de las primeras, salvando las distancias de edad y de tiempo con Proust, sabía que lo importante de su obra novelística ya estaba escrito. Pero cuesta perder la mala costumbre de escribir azuzada por los editores que ganan con los autores de éxito. Sartre fue un gran filósofo, un gran dramaturgo, pero un novelista mediocre. Camus se acerca a Simone de Beauvoir pero sin su aliento, fue siempre autor de libros cortos. Por supuesto no es el caso de analizar aquí a toda la novelística actual, pero si algo queda de nuestra civilización y de nuestra cultura será, sin duda, la obra de Simone de Beauvoir. Su único pecado, a mi juicio, fue describir con crueldad y lujo de detalles la decadencia física de Sartre. No tenía derecho a hacerlo. Como dijo Cocteau: "Hay que saber hasta dónde se puede llegar *demasiado* lejos", pues hasta en el *demasiado* hay límites y ella se extralimitó. Esa semblanza de los últimos diez años del compañero de su vida enturbia su imagen. ¿Qué ganó con hacerla? Acaso haya sido una venganza por la cantidad de mujeres que rodeaban a Sartre, con las cuales gastaba su dinero, no con ella, pues el compromiso era independencia económica, y también ese Premio Nobel que rechazó cuando ella como cualquiera de nosotros hubiera dado la mitad de su vida por obtenerlo. Pero ni siquiera de una persona anónima cuya decrepitud hemos presenciado tenemos derecho a pintar los síntomas vergonzosos de esa declinación. Pero como en ese mismo libro Simone de Beauvoir habla mucho de dinero, de las deudas de Sartre y de su desorden económico, también podemos suponer que pese a su grandeza de alma esta escritora fue también una mujer lo suficientemente normal como para indignarse de que su compañero rechazara 250.000 coronas mientras estaban sufriendo estrecheces pese a los jugosos derechos de autor de ambos.

Nobel y Goncourt

Simone de Beauvoir y Sartre habían elegido la igualdad total de deberes y de derechos desde los veinte años, pero al llegar a la vejez él seguía rodeado de mujeres y ella no estaba rodeada de hombres, salvo Lanzmann, siempre fiel. Él hacía rebotar el premio Nobel y ella aceptaba el premio Goncourt; ella se sentía desprotegida, mujer al fin, y él era el símbolo del desinterés, de la moral antiburguesa, el autor de un gesto caballeresco que no había tenido ningún otro escritor de izquierda. Ella, sin duda, le guardó rencor y lo volcó en esas infidencias que llenan las menos apreciables páginas de su admirable vida. Nadie se las perdonó y desgraciadamente la que salió empequeñecida fue ella, pues él estaba del otro lado del espejo.

Hoy Simone de Beauvoir ha muerto. La humanidad le debe una obra inapreciable y las mujeres encontraron en ella un paladín de los derechos femeninos, aunque dijo con amargura hace pocos años: "Lo que dificulta luchar por los derechos de la mujer es que en realidad la mujer prefiere seguir siendo protegida por el hombre y teme a los deberes que emanan de esos derechos". Por supuesto, son difíciles de sobrellevar, pero de no haber habido mujeres valiosas que lucharon por la liberación de las de su sexo hoy conocerían en carne propia la sujeción al hombre, la falta casi total de derechos, la condición secundaria que les reservaba la sociedad. Recordemos que hubo una época en que hasta se negaba que la mujer tuviera alma. Y otra mucho más cercana en que la menor libertad le estaba vedada.

Por lo tanto ninguna mujer puede dejar de reconocer que parte de su liberación se la debe a esta escritora que hoy ya no está entre nosotros físicamente pero lo estará siempre como uno de los inmortales cuyo nombre la posteridad no olvida.

22

Mucho ruido y pocas nueces

A propósito de "Je vous salue, Marie"

Qué agente de publicidad tan maquiavélico habrán tenido los productores de la película "Je vous salue, Marie" para que verla fuera el sueño de todo buen espectador de cine y convertir en un fruto prohibido la película más farragosa, más tediosa, más incoherente y de peor gusto de la cinematografía mundial.

Siempre he sido lo que llamaban mis amigos franceses "un buen público" pues todo espectáculo cinematográfico o teatral me interesa. He ido a unos diez festivales de cine, Cannes, Venecia, San Sebastián, hasta en Asunción del Paraguay y Berlín.

A lo largo de mi adolescencia, mi juventud y mi maduez he entregado horas incontables al sép timo arte, pero no recuerdo haberme aburrido nunca tanto como ante la proyección en privado de este filme de Jean Luc Godard promocionado por reiteradas prohibiciones eclesiásticas hasta que verlo fuera la aspiración de todo cinéfilo. Sin querer ofender a ningún prelado creo que la Iglesia en vez de prohibirlo debería recomendarlo pues en ese caso no soportaría ni una semana en cartel. Ahora ya es tarde; el mal está hecho y la publicidad logró sus fines. Diga yo lo que dijere o lo diga cualquier otro, todos van a querer sacar sus propias conclusiones.

Cielo, nubes y agua

El hecho ocurre en un tiempo indeterminado, en un país indeterminado, entre imágenes del cielo, de la Luna, de las nubes, del agua. Allí una joven llamada María concibe sin haber sido tocada por ningún hombre. Por lo tanto el dogma en caso de poder ser rozado por él quedaría intacto y sólo se trataría de algo simbólico. Los jóvenes de ambos sexos que aparecen en pantalla son feos, sin el menor atractivo, malos actores y poco ayudados por un guión que parece haber sido escrito en broma. Pero en primer lugar no niega el dogma de la virginidad de la Virgen y en segundo lugar parece un pésimo negativo de la imagen sagrada.

Esa pobre chiquilina que se viste y se desviste va sacándose sus prendas interiores sin la menor lujuria, prendas semejantes a las de una pupila de un colegio de monjas, de algodón grueso, muy blancas, nada eróticas, pueden ofender al buen gusto del espectador pero no a la religión católica. Parece imposible que la Iglesia Católica, la más fuerte del mundo, la que cuenta con más fieles, le tema a esta fatigosa copia del misterio de la Sagrada Concepción. ¿Qué censores internacionales vieron esta soberana tontería para prohibirla y convertirla en el anhelado fruto prohibido? Lo ignoro. Sólo imagino que cuando los exhibidores tuvieron ante sus ojos esta estupidez, o quizá los productores, se reunieron para no perder todo el dinero invertido en ella y algún demonio maligno susurró al oído de los inquisidores que debía ser prohibida. No cabía otra posibilidad de recuperar los fondos perdidos.

Un sueño imposible

La niña es virgen y se llama María, el novio, José, acepta después de muchas vacilaciones la realidad de esta anómala circunstancia. Aparte de eso, todo es feo, los ambientes, los muebles y los perros que saben más que el hombre. El diálogo es lamentable y se entrelaza con vagos conceptos sobre si el cuerpo tiene alma o el alma tiene cuerpo; un taxi que nadie sabe a qué viene y la compra de una gasolinera que podemos suponer es el taller de San José pero tirado de los pelos.

Para que este filme pueda ser exhibido sin ofender a nadie basta quitar tres imprecaciones contra Dios y una inocente mala palabra al final de la película: todo esto representa dos minutos escasos de filmación.

Al finalizar esta exhibición alimenté el sueño imposible de tener un agente literario tan sagaz como el "manager" que consiguió la plana mayor de los capitalistas de Godard. Total bastaría con escribir Romeo y Julieta o el Cid Campeador o la Odisea en los tiempos actuales, achatarlo con una aplanadora, situar el decorado y la acción en una modestísima clase media actual y así sacaría a relucir una polémica copia de cualquier obra de arte del pasado.

Este plagio infantil, de una abrumadora monotonía que nos hizo soñar con una genialidad no merecería sino una breve nota de cualquier crítico cinematográfico de no ser por la publicidad ilimitada de que fue objeto, en rigor de verdad tampoco puede ser una herejía dado que ni por un minuto el espectador duda de la virginidad de esa niña preñada por obra y gracia del Espíritu Santo o por un íncubo o un súcubo, dado que no hay explicaciones. Pero es virgen y concibe un hijo. Lo demás nada tiene que ver ni con la Sagrada Familia, ni con los Evangelios, ni con los dogmas de la Iglesia, ni con ningún simbolismo religioso.

Lo único que queda en pie al final de esta proyección es el mortal aburrimiento que hemos sufrido durante una hora y media, sumidos en la mediocridad total de los decorados, de las palabras, de los pensamientos, si pueden llamarse así las reflexiones ridículas de los supuestos jóvenes científicos que, como ocurre con la juventud actual, no puede pronunciar más de cinco palabras de corrido como si comenzara de pronto a descender del mono. Si ésta es nuestra descendencia sólo nos queda lamentar haber parido y que nuestros hijos hayan concebido.

Con defectos y sin cualidades

En América latina estamos cada vez menos inteligentes, somos cada día menos cultos, por lo tanto cabe suponer que aparecerán muchos astutos Jean Luc Godard y su organización publicitaria para hacernos creer que el rey que va desnudo usa lujosas vestiduras, como lo afirma la leyenda. El que se atreva a decir: "Pero el rey va desnudo", será considerado un idiota.

Yo me atrevo a decir la verdad sobre este filme agobiante por la suma de sus defectos y la carencia de sus cualidades. Si algún día permiten su exhibición todos tienen derecho a gastar su dinero y perder su tiempo en ir a verlo. Pero aunque no serán culpables, habrán sucumbido, sin embargo, a la tentación en esta era en que la publicidad es un dios o una diosa y es pecado prescindir de ella.

Ya que debemos ser cada día más estúpidos marchemos alegremente hacia el porvenir de una humanidad sin discernimiento. A los que discernimos nos está empezando a resultar difícil sobrevivir. Por fortuna, en lo que a mí respecta ya me queda poco tiempo por delante para ver la decadencia de la humanidad en estos rincones del mundo cada vez más alejados de la civilización, donde siguen engañándonos los espejuelos y las piedras de colores; a cambio de ellos Moctezuma entregó una habitación colmada de oro y sucumbió bajo la tortura.

Con nuestra estupidez actual pagamos el precio de nuestro nacimiento cruento de civilización marginada.

23

Al caer el telón

Hace muchos años, cuando murió Gérard Philippe, escribí sobre él y su ausencia irreparable. Era muy joven, personificaba al Cid, a Ruy Blas, a los grandes idealistas. Hoy no puedo dejar de escribir sobre otro actor que se metió en el atroz personaje de Judas y supo meterse en la piel de los atrayentes cínicos: me refiero, por supuesto, a Paul Meurisse.

En verdad yo ya iba tejiendo un artículo en el que pensaba explayarme sobre la tendencia del espectador actual de ir a ver al actor o la pieza de un autor, pasando por encima del argumento, porque este año pasado durante mi corta estadía en París advertí que la gente decía: "¿Viste a Michèle Morgan? ¿Viste la pieza de Sagan? ¿Viste a Paul Meurisse?". Sí, vi todo eso, por Michèle Morgan, por Sagan, por Paul Meurisse. Éste último ejercía sobre mí una real fascinación. Lo vi en Judas hace más de veinte años, lo vi muchas otras veces, pero hace dos años me sentí profundamente atraída por su irónica virilidad en *L'autre valse*, de Françoise Dorin. Por lo tanto a fines del 78 volví algo a regañadientes, casi como si me obligaran, a ver una pieza que había visto de adolescente con mis padres en 1935: me refiero a *Mon père avait raison*, de Sacha Guitry, que escribía sus piezas para sí mismo y se moldeaba su propio personaje. Salí del teatro diciendo honestamente que la pieza había envejecido, pero yo en realidad había querido ver a Paul Meurisse.

¿Qué es un gran actor? ¡Vaya pregunta difícil que me hago a mí misma! No obstante, como creo que muy a menudo yo también actúo y a veces pienso que me hubiera gustado ser actriz, no puedo eludirla. Un gran actor es el que sabe elegir el personaje en cuya piel se siente a gusto; es el que transmite con una especie de amplificador anímico lo que el público espera y lo que el autor soñó. O quizá lo que el público sueña y el autor esperó.

En medio de la era de lo espectacular Meurisse siguió siendo un actor intimista; parecía que representaba su papel para cada uno de nosotros en privado. Su sonrisa, ¿qué palabras existen para describir una sonrisa? ¿Y cuáles para pintar una voz cálida, un acento perfecto, una calidez de alcoba que corría como una corriente eléctrica a través de los sentidos de los espectadores? Cuando una mujer salía del teatro donde acababa de actuar Paul Meurisse sentía la nostalgia de quien se desprende de los brazos de su amante. Él representaba su papel de esa manera, entregándose entero, en cuerpo y alma. Por eso su corazón dijo "basta", porque estaba demasiado henchido de ternura, de admiración y de deseo. Murió a los sesenta y ocho años de un infarto, porque mereció esa muerte digna: habría sido injusto que arrastrase los pies y todas las secuelas de una arteriosclerosis.

Pero su respeto por el público es también el mío; por eso creo necesario completar esta breve crónica con algo que no sea una nostálgica elegía sentimental. Al comenzar sugerí que hablaría de Michèle Morgan y así lo hago. Su actuación en el teatro fue exactamente la contraria de la de Paul Meurisse: subió a las tablas sin oficio, sin una real preparación, pues el cine es totalmente distinto del teatro. La pieza "Le tout pour le tout", de Françoise Dorin, no es de las mejores de la autora, pero Michèle Morgan, pese a sus magníficos ojos, a sus "liftings" y a su peinado perfecto, se mueve con dificultad en el escenario. Una artrosis de cadera sin duda le impide ser ágil y elástica, se cubre hasta las rodillas con delantales de encuadernadora y sólo se los quita para ponerse un impermeable liviano; se atreve, con temor, a subir un escalón; cualquiera que sea la reacción del público ha elegido el teatro con veinte años de atraso y vivimos en una era en que nadie puede tomar el último tren. Si no hemos estado a la vanguardia de nuestra generación y de la de nuestros hijos, estamos a la retaguardia de la de nuestros nietos.

Pese a que la crítica fue benévola con Michèle Morgan, su actuación fue más que deficiente; a menudo la crítica nos alaba cuando sabe que estamos perdidos. En cambio es severa con Françoise Sagan, porque aún tiene muchos años por delante y una serie de éxitos estremecedores. Su pieza "Il fait beau jour et nuit" está lejos de ser lo mejor de su obra, pero no es inferior a la mayoría de las que ocupaban la cartelera de París en octubre y noviembre. Al menos es inteligente, porque Françoise Sagan no puede dejar de serlo; es cruel porque la autora pertenece a una generación lúcida y cruel, la que odió a los viejos y está envejeciendo, la de los hippies que ya tiene cuarenta años. ¡Qué horror, un hippie de cuarenta años! Quién iba a decirles que los cumplirían un día, ellos, los eternos jóvenes, los que insultaban a los padres que habían dejado cruzar la línea Maginot y los condenaban a muerte en grandes cartelones en mayo del 68. Al menos los hippies de la década del 50 repudiaban a sus padres, no pedían nada de ellos y dormían bajo los puentes, injuriaban a los transeúntes y desvalorizaban las propiedades de los comerciantes de San Francisco contra cuyas paredes se recostaban para dormir. Los de hoy no comprenden por qué no les cedemos nuestro cuarto y nuestra cama: tiene derecho a todo, ¿son jóvenes, no? Y en la Argentina lo único que da derechos es el fracaso y la juventud. El éxito les da náuseas como a los críticos que no saben que pese a ciertas fallas la pieza de Sagan es una pieza de Sagan y digan ellos lo que digan el público fue a verla y acaso vuelva a aplaudirla de aquí a veinte años.

Contra todas las modas, las críticas y las corrientes, en cada rincón del mundo se impone la personalidad y la capacidad para desempeñar bien el difícil oficio de actor o de autor, ese corazón palpitante que Paul Meurisse y cada uno de los que actuamos o escribimos entregamos al público durante todos los días de nuestra vida hasta que se quiebra como le corresponde a un objeto precioso que no cuidamos bastante para que lo hayan disfrutado los demás. Esos demás que no están de más. Esos para quienes hemos representado nuestro papel hasta la caída del telón.

24

Vivir a nivel humano

PARÍS, 1979 — Para ir a París, terminado el Festival de San Sebastián, y evitar infinitos trasbordos, taxis, hotel en Madrid y coincidencia con Aerolíneas, decidí tomar el wagon-lit desde Hendaya. Un matrimonio que vive en Fuenterrabia, amigos recientes, pero más serviciales que muchos viejos amigos, quizá porque han elegido a la persona que somos y no a la que fuimos, se ofreció a buscarme, llevarme a comer a su casa y depositarme en el tren. Asistí deslumbrada a estas atenciones ya casi imposibles entre los habitantes de las grandes ciudades. Mientras él aún estaba en su estudio de arquitecto, ella fue a buscarme al hotel y me hizo recorrer ese Fuenterrabia donde aún se siente el sabor de la dulzura de vivir. Un pueblito escalonado en la montaña que desciende suavemente hasta el mar; departamentos, que ocultan esta vergüenza de vivir en fosas comunes, disfrazados de grandes casas vascas, sin romper el estilo del paisaje; al menos así son los que construye mi nuevo amigo Basterrechea. En la plaza, algunos habitantes del lugar y artistas que han venido a radicarse allí, miran pasar el tiempo como si contemplaran un espectáculo que les está destinado a unos pocos, ven ponerse el sol, teñirse el horizonte hasta entrar en la monotonía del cielo nocturno, sin hacer cola ni pagar entrada, sentados ante una mesita de hierro con un vaso que importa poco. En el puerto, junto a las barcas, los pescadores hacen lo mismo.

Yo, por un momento más privilegiada, visito además el taller del escultor Basterrechea, situado en una casa varias veces centenaria que aún tiene opalinas en vez de vidrios en las diminutas ventanas que perforan los ladrillos, a los que el tiempo ha devuelto su color primitivo de tierra apisonada. La obra de Basterrechea merecería un artículo aparte; esculpe en madera la tradición oral de las leyendas vascas; encuentro reminiscencia de Alicia Penalba aunque su estilo es netamente personal.

Cuando a los pocos días, un sábado a la tarde, sumergida en ese medio de locomoción inhumano llamado subterráneo, tan inhumano como el avión porque el hombre no ha sido hecho para andar por los aires ni por las entrañas de la tierra sino por la superficie, llegué junto a un grupo de amigos argentinos a ese agujero hecho para rellenar otro agujero llamado el Forum des Halles; angustiada, temblando de calor, de claustrofobia y de desorientación, pensé que tenía razón mi amiga vasca cuando me decía: "Nosotros vivimos a nivel humano".

Aunque ya otros han hablado de este nuevo esperpento con el cual en los últimos años los franceses están intentando desfigurar a París, con resultados por lo general negativos, focos de inutilidad localizados que nada pueden contra la armonía admirable de la ciudad más linda del mundo, no puedo dejar de dar mi propia opinión, apoyada por la de muchos parisinos estupefactos.

Después de derrumbar Les Halles quedó un inmenso agujero. En vez de rellenarlo hicieron algo así como tapizarlo de "boutiques" lujosas, escaleras mecánicas y techarlo con vidrios a través de los cuales vemos desfilar como en el Infierno del Dante a infinidad de condenados: mientras unos bajan otros suben, se entrecruzan, se ven sin poder tenderse la mano; nadie sabe bien dónde está, de dónde viene ni adónde va. Se exhiben los objetos imaginables franceses y extranjeros, pero la mayoría parece sentir como yo la imposibilidad de comprar algo allí. ¿A quién dirigirse? ¿Cómo elegir? Y, lo que es peor, ¿cómo detenerse en medio de ese flujo humano? ¿Perder a sus acompañantes y tener la impresión de que nunca más podremos salir de ese infierno de la sociedad de consumo? Moriremos de hambre y de sed en medio de vestidos y de muebles suntuosos.

Me siento como en una inmensa nave de ciencia-ficción que no me conduce a ninguna parte. A casi todo el mundo le ha ocurrido lo mismo. La francesa de clase media no se atreve ni a cruzar el umbral de esas tiendas superiluminadas como con rayos ultravioletas. La joven madre no sabe qué hacer con el cochecito de su hijo, pues no hay posibilidad de desplazarse sin tropezar con escaleras mecánicas o no mecánicas, pero con apreciables desniveles: escribe en una carta abierta de *Le Figaro*.

Al día siguiente hablo con Phillippe Baer, uno de los culpables indirectos de este monstruo que al menos por respeto a los antiguos romanos no debería llamarse el Foro y le digo que no está hecho a nivel humano. Me dice:

—¿Acaso las catedrales estaban construidas a nivel humano?

Me quedo muda, farfullo que era distinto, que no había esa muchedumbre.

—Pero sí —me dice— el pueblo entero se cobijaba allí. Por eso eran tan grandes.

Pero no se vendía nada, no enceguecían las luces, el piso era de un solo nivel. ¡Qué sé yo! Lo cierto es que nunca entré en una catedral sin sentir la paz de lo inspirado por la fe en algo superior a nuestra mediocridad cotidiana. En cambio, al entrar en el Foro me hundí de lleno en lo que no vale la pena. En lo prescindible. No me gustaría prescindir de Notre Dame ni de la Catedral de Chartres, y aun la iglesia de Saint Eustache, que puedo ver a través de esa pecera gigantesca en que no sirve haber aprendido a nadar, me reconforta con sus viejas piedras, su estructura vertical impulsada hacia el cielo, mientras en este agujero transparente, sala de vivisección para seres humanos, me parece que Dios nos mira como nosotros miramos a las hormigas desorientadas que se agitan en diversas direcciones alrededor del hormiguero que acabamos de destruir con el pie.

Mi imparcialidad me ha llevado a repetir los argumentos de sus defensores. Para mí no tiene defensa; creo que en un futuro cercano se convertirá en un museo de tiendas sin compradores y habrá que encontrar otro destino para todos esos agujeros metidos en medio de tantos otros agujeros como una colmena gigantesca.

25

El mensaje del Señor Presidente

Los discursos del Dr. Alfonsín son siempre constructivos; por desgracia, pese a su buena voluntad, su gestión no llega a serlo tanto. Sin lugar a dudas es más fácil hablar que gobernar.

Nuestro bien intencionado presidente aspira a que el país vuelva a contar en el concierto de las naciones y a que su moneda vuelva a ser una de las más fuertes del mundo. Ocurre que para lograr ese último objetivo no basta con tacharle tres ceros cada cuatro o cinco años.

En 1946 el entonces presidente Perón afirmó en su primer discurso ante las Cámaras: "Tenemos una de las monedas más fuertes del mundo. Cada peso argentino está respaldado por 1,22 en valor oro. No debemos ni un centavo a nadie; en cambio nos deben a nosotros 4.000 millones de dólares o sea 8.000 millones de pesos." Era una cuenta algo inexacta pues ya existía el mercado negro y el dólar, aun el oficial, estaba a 4 pesos. En el segundo semestre del 49 el mismo Perón anunció al país que había suprimido el respaldo oro porque con nuestros granos, nuestras tierras y nuestro ganado bastaba y sobraba como respaldo. Hoy valen poco nuestras tierras, se pudre nuestra cosecha y se extingue nuestro ganado. Factores políticos y climáticos se han aliado para estas tristes circunstancias.

Uno de los aspectos que nuestro actual presidente no ha estudiado en su mensaje de fin de año es el del cambio de la condición del trabajador en el mundo y en el país. En 1945 no existía en la Argentina ninguna ley obrera seria. El aguinaldo fue creado después. La indemnización por despido era tan inimaginable como la licencia por maternidad, las vacaciones pagas, la responsabilidad empresaria ante la enfermedad, la invalidez, etcétera... de sus obreros. Estos obreros a su vez consideraban con filosófico fatalismo que habían nacido pobres y desprotegidos y lo serían hasta el fin de sus días. Ni siquiera imaginaban la creación de una CGT ni del sindicalismo. Esa enorme masa humana ignoraba su fuerza como los actuales robots de ciencia ficción o un Gulliver que aún intenta caminar en puntas de pie para no aplastar a los enanitos a su paso.

Todo esto ha cambiado radicalmente y por mucho que clame el angustiado Dr. Alfonsín, crucificado entre su deseo de hacer justicia y el de engrandecer el país, su tarea sólo puede ser llevada a cabo con paciencia y buena voluntad de ambas partes, a lo largo de dos o tres generaciones.

Nuestro presidente se refiere a una época en que sólo vivían bien y mucho más que bien un puñado de privilegiados entre los cuales se contaba mi familia. Yo, por lo tanto, tuve una infancia, una adolescencia y un principio de juventud doradas. Esto no me permite ignorar que nuestros obreros en aquel entonces ni siquiera podían soñar con ganarse el Prode porque no había sido inventado, y observé impotente a una señora aterrorizada por la muerte repentina de su marido despachar al chofer que los había servido durante veinte años para poner su auto en venta sin tener que darle a ese fiel servidor ni un solo centavo.

La Edad Media

Por supuesto que en la Edad Media los señores vivían muy bien a costillas de sus siervos y la condición de los obreros independientes en el siglo XIX en Francia y en Inglaterra seguía siendo tan desdichada que Flora Tristán lo consignó en sus cuadernos. Le extrañaba no hallar respuesta en ellos, verlos vencidos, resignados, extenuados, por supuesto al cabo de dieciséis horas de labor ante un telar o un yunque.

Todo eso ha quedado atrás y hoy ningún país puede soñar en levantarse sobre el hambre y el sudor de sus trabajadores. Aquel que crea que un obrero, un jubilado o un empleado de poca jerarquía en la Argentina dispone de un jornal, sueldo o jubilación que le permita vivir aun en forma paupérrima, está totalmente equivocado, sea presidente de la República, dueño de una fábrica o patrón de estancia.

Nuestro Plan Austral no nos ha dado ni "moneda, ni previsión, ni certidumbre" como afirma el Presidente, sino una moneda que es una farsa y una terrible incertidumbre que nace justamente del hecho muy simple de que no podíamos preverlo. Los economistas venidos del exterior dijeron bien claramente que era un plan que sólo podía mantenerse durante muy pocos meses y a fuerza de incrementar la producción. Lleva más de siete meses y la producción ha decrecido. Alabar la inflación sería demencial pero tampoco es sensato alabar el congelamiento pues al menos con inflación se puede especular, comprar un auto, un terrenito, algunos objetos y revenderlos ganando; con este congelamiento no podemos ni comprar ni vender nada. Le ruego al Dr. Alfonsín que me perdone si considero que contrariamente a lo que afirma estamos gobernados en forma rígida e inflexible. Que me lo desmienta con algún signo de flexibilidad. Estoy de acuerdo con él que "el lenguaje de la verdad es uno solo" pero parece que estamos hablando distintos idiomas. En primer lugar porque es necesario confesar que aun en los grandes países democráticos, como los Estados Unidos, la mano de obra es tan cara que el dólar baja ante las monedas de países más masificados y los productos que se venden dicen "Made in Taiwan", "Made in Hong Kong", "Made in Taipeh". No creo tampoco que las demandas de ningún trabajador "abusen de la buena fe" de nadie; creo más bien que los empleadores abusan de la buena fe del trabajador. Un reclamo no puede jamás ser llamado abuso; sigo aconsejando al Gobierno que se provea de diccionarios. Tampoco creo que cuando hemos asistido atónitos a la detención de dos periodistas se puede afirmar que "estamos saliendo de una sociedad intolerante". ¿Dónde está la tolerancia?

También resulta sorprendente que un gobernante se alabe tanto a sí mismo y hable de su gestión como si hubiera logrado éxitos estrepitosos. ¿No sería más cuerdo esperar que otros lo alaben o lo critiquen? ¿Cómo criticar "un triunfalismo exacerbado" si se cae en él fingiendo desconocer las huelgas continuas en los servicios públicos, ferrocarriles, aerolíneas, bancarios, etcétera?

Ojalá

Ojalá pudiera yo suscribir con toda mi alma el discurso del Dr. Alfonsín. Ojalá fuera posible gobernar a la Argentina como en los tiempos de Marcelo T. de Alvear. Ojalá esa estabilidad estuviera afianzada sobre bases sólidas no sobre un tembladeral. Ojalá pudiera llegar un poco menos al fondo de las cuestiones y tener la insensibilidad suficiente como para encogerme de hombros ante las necesidades de nuestro pueblo, decirme que no soy responsable de nada, que después de todo me tira más la derecha que la izquierda y me lo paso haciendo de paladín de las clases desposeídas. Pero si el Dr. Alfonsín puede ser contradictorio también puedo serlo yo que al fin y al cabo no cambio nada a la cosa y cuya opinión interesa a muy pocos aunque me llueven felicitaciones y críticas. Pero son teóricas. La verdad es que las grandes revoluciones sociales las hicieron los teóricos no los gobernantes que nunca creen en las reacciones del pueblo y se quedan estupefactos cuando corre a la Bastilla, deja de venerar al padrecito Zar o baja de la Sierra Maestra.

El pueblo argentino es manso por naturaleza y su violencia no pasa de osadías verbales pero sería prudente tener en cuenta que lo mismo se dijo de otros pueblos hasta que probaron lo contrario. Por eso creo que debemos ayudar al Gobierno a conocer mejor a su pueblo, a palpar su descontento, a temer reacciones peligrosas. Nosotros, los que no hemos conocido el hambre, debemos alertar al Gobierno y recordarle que otros lo conocen y corren peligro nuestras vidas y nuestros bienes y, lo que sería muy grave, ya irreparable para la Argentina, que el descontento crece. Hay que paliarlo con medidas humanitarias, no con limosnas ni con nuevos nombramientos. Estoy de acuerdo con usted, Señor Presidente, pero no con sus discursos porque sin duda quienes se los escriben ignoran que el argentino tiene mala memoria, no le importa nada el pasado pero quiere que le alumbren aunque sea con una vela el camino del porvenir.

26

El Premio Nobel y sus malentendidos

A 150 años del nacimiento de Alfredo Nobel es oportuno examinar los avatares del premio que lleva su nombre.

La mayoría de aquellos que han hecho testamentos teóricamente perfectos han sido defraudados por la posteridad, pero como, salvo Lázaro, nadie se levanta de su tumba, el gran fraude continúa sin que a nadie se le mueva un pelo.

Hace ciento cincuenta años nació en Estocolmo Alfredo Nobel. Fue un industrial tesonero, esforzado y con imaginación. Como todos saben, descubrió la dinamita. La mayoría de las veces, cuando un científico descubre algo importante, cree que servirá para mejorar las condiciones de la humanidad. Nobel, alborozado, advirtió que su invento disminuiría los esfuerzos de los picapedreros y ayudaría a la apertura de zanjas, canales, rutas en medio de montañas y propiciaría las comunicaciones. Sin embargo, no tardó en advertir que era el moderno inventor de la pólvora, que, como la anterior, serviría para matar. Era un arma de doble filo, porque el hombre está hecho de tal manera que no puede avanzar un paso hacia el progreso sin convertirlo en un arma mortífera. Resulta extraño pensar que quisieron quemar a Paganini por brujo sólo porque lograba, al pasar el arco sobre las cuerdas, que su caja emitiera sonidos fascinadores. Pero me equivoco al decir que es extraño dado que la ceguera humana no tiene límites y desde el principio de los siglos los hombres le han temido más a los sabios, a los escritores y a los artistas que a los soldados y a los verdugos. En el fondo aquel que quiere crear inspira desconfianza, pues parece desear medirse con Dios. Y al parecer, ese mismo Dios que les dio la facultad y la vocación de crear se reprocha esa dádiva y para compensarla suele castigar a los creadores con la enfermedad, la ceguera, la pérdida temprana de seres queridos, la soledad y a menudo la pobreza, hasta la miseria, la locura, el sarcasmo y la injusticia de los demás.

Cuando Alfredo Nobel advirtió que la dinamita no había perfeccionado el modo de vivir de sus semejantes sino que había descubierto una nueva manera de matar más rápida y eficiente que las conocidas hasta entonces, cayó en una profunda depresión.

Para colmo su arma mortífera le proporcionaba sumas tan ingentes de dinero que sólo le cupo comprender que era el primer aprendiz de brujo que había logrado convertir el barro en oro, y como el rey Midas, ya todo cuanto lo rodeaba seguiría convirtiéndose en ese precioso y anhelado metal. Su fortuna crecía por minuto y su desazón junto con ella. ¿Cómo hacerse perdonar ese invento diabólico? De una sola manera: convirtiéndose en un filántropo. Y así el esforzado industrial sueco inventó otra dinamita: el Premio Nobel.

Para paliar las muertes que su creación causaba y causaría en el porvenir, Nobel decidió antes que nada crear el Premio de la Paz, que fue seguido poco después por otro destinado a la ciencia, luego a las letras. No obstante, cuando redactó su testamento, decidió dejar los tres primeros premios a cualquiera que en el terreno de la medicina, la física, la química o la fisiología hubiera hecho el descubrimiento más importante. El cuarto debía ser discernido al escritor que hubiera hecho la obra más pura y más idealista; el quinto, a la persona que más hubiera hecho por la fraternidad de los pueblos, la disminución de los ejércitos permanentes y la propagación de los congresos de la paz. En principio este último premio debe ser dado por la dieta noruega y los demás por la Academia Sueca.

Nadie escapa a su verdadera vocación y Nobel —que comenzó por mezclar la nitroglicerina con el silicio amorfo para lograr su uso corriente, durante cuyos experimentos explotó su laboratorio, luego la famosa dinamita y al final la pólvora, sin humo— deseaba por encima de todo premiar a quienes como él se dedicaban a esa clase de estudios. Para terminar con esta breve biografía, agregaré que poco después de la explosión transportó su laboratorio de las afueras de París a San Remo, donde murió a los sesenta y tres años preguntándose sin duda si sus inventos lo arrojarían a las llamas del Infierno o si su generoso testamento le permitiría entrar en el Paraíso.

A decir verdad, algunos términos de sus últimas voluntades fueron forzosamente tergiversados: su deseo era que el premio fuera dado a una persona joven para que pudiera continuar su labor sin zozobras económicas. ¿Pero cómo encontrar a ese joven genial y desconocido en medio de la marea humana? Por lo tanto, hubo que convertir lo que en principio tenía carácter de beca, en la mayor consagración mundial en cada terreno. La única disposición tomada por la Academia Sueca y hasta ahora respetada fue que el Premio Nobel no pudiera ser concedido a nadie mayor de ochenta años.

Después, a lo largo de ochenta y seis años de esta espera tensa, en que cada país propone a sus candidatos, se hicieron leves retoques o se intentó adivinar sus deseos más recónditos, al menos en el terreno de la medicina. Ese premio es dado casi sin excepción a quienes se dedican a trabajos de laboratorio. Nadie recuerda que le haya sido otorgado a un gran cirujano ni a un gran clínico. Nobel era un investigador, además de un inventor, y quienes deben otorgar el premio tratan de concedérselo a alguien semejante a él o a un equipo de investigadores. He oído a muchos médicos quejarse de esa injusticia, pues en el terreno de la medicina aplicada, la investigación también ocupa un gran lugar. Como hija del fundador de la cardiología argentina, sé lo que se le debe a un cardiólogo. En cuanto a la cirugía, sus adelantos han sido tales que han cambiado la faz de la humanidad. Pero quizá Nobel, muerto en 1896, pese a su enorme talento, no logró imaginar los trasplantes de huesos y de órganos, así como no logró imaginar desde su retiro de San Remo que con el aumento demográfico se incluirían muchos países quizá descartados por él, dada su poca importancia en aquella época o aún inexistentes, como Israel, una de cuyas escritoras tuvo el Premo Nobel; cada vez resultaría más difícil otorgar la distinción con justicia y ecuanimidad. La mayor Revolución de la Historia y las dos inimaginables guerras mundiales han hecho que el mundo cambiara en menos de un siglo más de lo que cambió entre el Renacimiento y el siglo XIX.

La imaginación humana es siempre limitada y las grandes transformaciones que anoté anteriormente hicieron que el Premio Nobel diera otro vuelco inesperado que sin duda hubiera dejado estupefacto a su fundador: se convirtió en un premio político. Difícilmente le toca dos años seguidos a un mismo país y nunca recae sobre alguno que no esté de moda o no interese en materia política a la Academia de Suecia. Cuando lo tuvo el argentino Pérez Esquivel fue porque era un disidente, lo que significaba que no se le otorgaba a su tierra sino, por el contrario, apoyaba su oposición a la política argentina.[1]

En materia literaria, la mayoría de las veces recae sobre un escritor con netas tendencias izquierdistas. Resulta difícil comprender qué cláusula del testamento de Nobel puede inducir a los académicos de su país a tachar de un plumazo a los escritores de derecha o aun del centro o sin opiniones políticas definidas.

[1] Me refiero exclusivamente al Premio de la paz, pues cuando lo tuvo Saavedra Lamas las condiciones de nuestro país eran otras. En el terreno científico, la Argentina tuvo el honor de que se lo otorgaran a Houssay y a Leloir. Donde reinó la mayor injusticia fue en el literario, como todos sabemos. *(Nota de la autora.)*

Ningún premio más acertado literariamente que el que le fue otorgado a García Márquez, pero posiblemente no lo hubiera obtenido de no ser izquierdista. En definitiva, la segregación se ha instalado en la Academia de Suecia. Un escritor puede hacer una obra importante y valiosa sin necesidad de tener tomado partido políticamente. Incluso para algunos, sobre todo si nos referimos a los poetas, la política no les incumbe o creen que no les incumbe. La verdad es que actualmente el escritor está cada vez más comprometido con el gobierno de su país, el Premio Nobel es la prueba de ello. Cuando vino Oriana Fallaci nos insultó a todos sin distinción, no mencionaba ningún nombre propio; nuestro pecado original era ser argentinos. Aun los que habían sido injustamente encarcelados merecían su desdén por el mero hecho de ser sobrevivientes.

Al cumplirse los ciento cincuenta años del nacimiento de Alfredo Nobel vemos que la única condición que no puso en su testamento es, sin embargo, la que rige la decisión de los jurados: el sorteo entre países cuya tendencia política interese a los académicos, y, por lo tanto, la fatalidad histórica que recae sobre grandes escritores víctimas de gobiernos que no han elegido, de dictaduras que los torturan y, sin embargo, imprimen sobre su pecho como durante la guerra lo hacían los nazis con la estrella amarilla de los judíos, una marca infamante de segregación injustificada. Aborrecer a un gobierno y sufrir el oprobio de ser identificado con él es un castigo que Nobel no imaginó. A lo largo de casi un siglo, su premio sigue estallándole entre las manos como la nitroglicerina y la dinamita que destruyeron su laboratorio; hoy la actitud caprichosa de los suecos borra su ecuanimidad, su sentido universalista, humanista y humano, su deseo de encontrar valores internacionales y puros, dado que lo que más le importó y reza como cláusula testamentaria fue el idealismo de los creadores en materia literaria y la fraternidad de los pueblos para lograr la paz.

La muerte nos traiciona siempre, a todos. Nobel no fue una excepción. Nadie puede levantarse de la tumba para clamar que ha sido malinterpretado. Después de los incontables malentendidos que nos traicionan a lo largo de la vida, ante los cuales a veces nos encogemos de hombros y otras veces tratamos en vano de reaccionar aclarándolos, sabemos que, por desdicha, un inexorable malentendido pesará sobre nuestra memoria cuando hayamos exhalado el último suspiro.

27

El hombre y su circunstancia

Por supuesto no pretendo robarle este axioma ya célebre a Ortega y Gasset sino simplemente servirme de él para sorprenderme ante la diferencia de un hombre de la calle, como usted y como yo, y un funcionario.

El hombre es un ser frágil y vulnerable; su menor error, sobre todo si se destaca en algo, lo subrayan las cartas de lectores y si es una persona anónima se lo recalcará la familia, sobre todo los hijos, que para eso los hemos puesto en el mundo: para que sepamos lo que significan los reproches inmerecidos y merecidos con una solución de continuidad digna de mejor causa.

El funcionario, en cambio, es un hombre endiosado por un poder transitorio que le permite olvidar su parte inmortal. Mi primer ejemplo es Marcos Aguinis. Tuve la suerte hace cinco o seis años de que este diario me encomendara la crítica literaria de un libro titulado "La conspiración de los idiotas". Lo leí apasionadamente, me deslumbró y creo que jamás escribí una crítica tan elogiosa. Ya el autor, amparado por leyes o más bien por una loable carencia de leyes que permitían entrar en el país libros editados en el extranjero había tenido un éxito resonante con *La cruz invertida*, premio Planeta, publicado por supuesto en España pero leído sin retaceos por los argentinos, sobre todo por los jóvenes e idealistas. Aguinis me invitó cordialmente a comer a su casa con su encantadora mujer, también universitaria; él era psicoanalista. Guardo un recuerdo imborrable de su calor humano, su gratitud superflua por una nota que me había salido espontáneamente y el ambiente cultural de su hogar. Pero hoy el hombre ha desaparecido detrás del funcionario. Ya su sonrisa es estereotipada y como todos los demás olvida que el Dr. Alfonsín antes de hacerse cargo del poder prometió (¡otra promesa incumplida!) que se habían terminado las audiciones en cadena, indignas de un régimen democrático, pecado de regímenes totalitarios, al parecer tan nefastos a la cultura pero no tanto como para impedirnos disfrutar de la lectura de "La conspiración de los idiotas" y de declarar como lo hice yo a mediados de abril del '82 que la invasión a las Malvinas era un desacierto sin parangón y no me ocurrió nada. Al parecer, a otros los torturaron simplemente por tomar una cerveza en un bar cuando entró la policía. No pretendo ignorar las injusticias de antes pero pretendo señalar los errores actuales, que no para otra cosa están los escritores.

La afirmación de que sólo en un régimen democrático se puede producir buena literatura es una enormidad, una ignorancia total de que con Luis XIV florecieron las letras en Francia; que gracias a su mecenato pudieron crear Racine, Corneille, Molière, para citar sólo a los más importantes. Tampoco disfrutaba Francia de libertad cuando florecieron los Enciclopedistas, cuando Voltaire y Beaumarchais hicieron trastabillar y luego caer estrepitosamente al rey Luis XVI.

La cultura necesita libertad para crear, no para andar vociferando por las calles "slogans" sin ton ni son. La cultura no es únicamente todo lo que citó un funcionario que fue uno de los escritores que más he admirado sino también literatura, libros por encima de todo, cosa que en su discurso se olvidó de citar. Por supuesto que consignar estas verdades me costará muy caro, como me ha costado siempre. El funcionario tiene poderes de los que no disponen los hombres.

No obstante, mi crítica no se limita a ese discurso desafortunado sino a otros aspectos igualmente graves de nuestra actualidad. Leo en el diario que el sueldo del Presidente subió de 608 australes a 640 australes. El Dr. Alfonsín llegó al poder porque tenía el sentido del ridículo y la otra mayoría perdió su oportunidad por no tenerlo y ejecutar ritos medievales en la avenida 9 de Julio. En mi juventud he oído a Perón proclamar: "Yo vivo con 300 pesos mensuales". Los argentinos memoriosos y conscientes no queremos que se repitan semejantes aberraciones; el más modesto de los obreros sabe que 640 australes no pagan ni la mitad de un traje del presidente de la República, claro que van incluidos, como sus camisas, sus corbatas y sus zapatos, en gastos de representación, pero entonces ¿por qué no dona su sueldo a la Casa Cuna o a una escuelita rural? O simplemente ¿por qué no aprenden a callarse la boca? El pez por la boca muere.

Hace pocos días le pregunté a otro funcionario del área cultural por qué me había atacado con tanta virulencia cuando critiqué el filme *Je vous salue, Marie* y me contestó que a él lo habían invitado varias veces a verlo y no había aceptado. Pues allá él, yo deseaba verlo, porque mi curiosidad intelectual sigue inalterable acaso porque nunca fui funcionaria y jamás pude permitirme creerme dueña de la verdad. Apenas si puedo dar opinión abriendo el paraguas contra griegos y troyanos. Yo era libre de ver la película y de opinar.

Pero desde el primer magistrado hasta los demás funcionarios son invulnerables. ¿Qué importa olvidar promesas electorales, jurar que se acabaron las audiciones en cadena cuando no podemos poner ni un noticiero sin que nos interrumpan con discursos de un interés relativo para una franja limitada de la población, y sin el menor interés para el resto? ¿Qué importa que un escritor olvide citar la literatura como fuente esencial de cultura para referirse a la alimentación, la ropa, la técnica, etcétera...? ¿Qué importa condenar un filme sin haberlo visto si uno ocupa un lugar privilegiado en el ámbito cultural, en el que tiene más deber que otros de conocer todo lo producido en ese terreno fuera del país si se cobra un sueldo a fin de mes?

La rectitud, la dignidad y el nivel cultural de las personas a las que me refiero son las que "me dan en la matadura". La ciudadanía está atónita, hundida en la pobreza, en un "país parado" como lo afirma cualquier chofer de taxi y la gente que por falta de medios no puede ir al cine y se ve privada de ver en televisión su programa favorito quizás a la única hora en que puede darse el gusto de hacerlo.

Queremos democracia, pero la democracia no es esto. No es cambiar la moneda y su nombre sin consultar al Congreso, no es decidir el traslado de la Capital como quien decide mudarse de casa, no es prometer y prometer y seguir prometiendo sin cumplir, ni seguir cumpliendo.

La definición de la democracia según el diccionario Espasa Calpe es: "Doctrina política favorable a la intervención del pueblo en el Gobierno / mejoramiento de la condición del pueblo", página 449, primera edición, diccionario manual 1945.

Para no quedarme con una sola opinión consulto el Petit Larousse Illustré: "Gobierno en el que el pueblo ejerce su soberanía. *Pericles organizó la democracia en Atenas.* Las clases populares. Lo contrario: aristocracia, monarquía." (Edición 1958.) Me bastaría revisar mi biblioteca para seguir citando pero dado que las personas anónimas que me leen estarán de acuerdo conmigo y los funcionarios me pondrán en una lista negra confeccionada o no, por escrito o simplemente de boca en boca.

Lo que me permite enunciar estas verdades es que ataqué en todos sus actos evidentes a los gobiernos militares, como lo dije más arriba en plena guerra, lo que podría hasta haber significado un crimen de lesa patria y nunca fui molestada. Pero la democracia no es "Viva la libertad y muera el que no piensa como yo". La democracia no es hablar hasta por los codos en tribunas donde no se puede ser interrumpido; la democracia no es vestir de civil y no de uniforme; la democracia no es dictar sueldos por decreto, encerrarse en torres de marfil sin que los ciudadanos podamos llegar a hablar ni con aquellos a quienes hemos conocido antes de las elecciones y hemos apoyado y ahora ni nos reconocen. La democracia no es prepotencia, solemnidad, aislamiento del pueblo que los ha votado o ha elegido a otros candidatos democráticamente, sino escuchar sus reclamos, sean salariales o intelectuales. La democracia no es libertinaje, permisividad ilimitada en materia de pornografía, de obscenidad ni derecho a destruir un crucifijo. No es ignorar "prohibido pisar el césped". La democracia no es poner precios máximos a los libros de ficción, puede admitirse que se lo haga con los libros de texto, pero los demás no entran en la canasta familiar. ¿Por qué no poner precios máximos a un cuadro, a una escultura, a cualquier obra de arte, ya que según parece la lista de precios máximos es el símbolo de nuestra actual democracia? La democrácia es respirar un aire de libertad cuyo aroma no llega hasta nosotros. La democracia no es restringir la televisión a unos cuantos elegidos a dedo ni repartir los cargos jugosos entre los parientes del partido gobernante. La democracia es un estilo de vida que desde hace medio siglo nuestros gobernantes parecen ignorar, esos presidentes que caminaban por Florida, esos ministros que no se hacían representar por sus secretarios en los actos culturales.

Podría llenar páginas enteras con mis experiencias de las verdaderas democracias. Para mí el ejemplo más indiscutible nos lo dan los Estados Unidos. A causa de esa real democracia murieron asesinados Lincoln y luego John Kennedy, pero sus muertes no fueron en vano y sus figuras, gracias a la democracia, se han hecho inmortales: no andaban protegidos en autos con cristales antibalas. Ninguna muerte es un holocausto en vano, como no lo fueron las muertes de las víctimas del nazismo. Si algo de libertad persiste en el mundo está erigida sobre esos cadáveres de arios y judíos, de los héroes de la resistencia, de los presidentes de la República que miraban de cara al pueblo aun sabiendo que se exponían a perder su vida. Lo demás quizá pudiera llevar alguno de los títulos de un gran escritor llamado Marcos Aguinis, pero no puede llamarse democracia.

28
En todas partes se cuecen habas

Los argentinos cometen el error de creer que solamente nuestros gobiernos equivocan el rumbo, desconocen la manera de enderezar con rapidez los estragos de viejas tormentas, de prolongados vendavales. Además tenemos, (¿por qué excluirme?) a flor de labios lugares comunes que se convierten en axiomas como por ejemplo: "Este país no tiene remedio", "éste es un país de m...", "aquí no tenemos más que una salida: Ezeiza". Afirmamos que somos holgazanes, aunque sabemos que infinidad de gente tiene dos o tres empleos; que somos infradotados como si no supiéramos cuántos de nosotros han triunfado y triunfan en el exterior y seguimos flagelándonos sin la menor piedad por nosotros mismos. Afirmamos que falta patriotismo, que nadie quiere al país, que en cuanto puede lo estafa... ¡Un momento! No pretendo que en estos axiomas negativos haya sólo falsedad, liviandad y superficialidad en la manera de expresarse o de pensar, sólo pretendo que comparemos nuestra actitud con la de los demás pueblos de la Tierra.

Acabo de llegar de Europa, para ser más exacta de París y a falta de preocupaciones propias me incliné sobre las ajenas. Aprendí una vez más, y van más o menos cuarenta, si cuento cada viaje, que el ser humano se parece mucho en todas partes. En todo caso los que no tenemos la piel amarilla, los ojos rasgados y la ancestral costumbre de aceptar sin chistar las leyes dictadas hace siglos o milenios somos bastante parecidos. Más exactamente los latinos somos tan desordenados, indisciplinados, aprovechadores los unos como los otros. Gobernar un país latino es un esfuerzo titánico porque a nadie se le cae de la boca el eterno: "Hecha la ley hecha la trampa". A decir verdad me pregunto por qué debemos hacer trampa a la ley; comprendo que la hagamos si la ley no existe como ocurría con el divorcio pero una vez que está a nuestra disposición lo natural es acatarla con júbilo.

Como tengo muchos amigos franceses puedo observar estando allí lo que el turista ni siquiera presiente. Entre las costumbres poco recomendables me fue dado ver en algunas familias esa picardía latina que a menudo conviene más al individuo que al país. Estoy pensando y refiriéndome a una ley que sería justa si la gente no se aprovechara de ella en forma indiscriminada. Me refiero al subsidio por desocupación.

Aunque parezca absurdo un joven que ha trabajado durante cuatro años en el estudio de un abogado, en el consultorio de un médico o en cualquier oficina si conserva relaciones cordiales con sus empleadores consigue que lo despidan por "razones económicas". Lo mismo ocurre con la jefa de una boutique, con una vendedora de tienda, con una empleada doméstica. Entonces aparece ese fenómeno incomprensible: el Estado, es decir cada contribuyente, debe pagar al desocupado durante un año el setenta por ciento del sueldo que gozaba. A menudo esa persona trabaja sólo un año o dos y las razones económicas son un pretexto para disfrazar desde un cambio de ramo hasta una relación amorosa que se rompe. Es decir que el Estado o el contribuyente debe pagar el despido y la desocupación de alguien que ha trabajado en una empresa privada. El desocupado goza de derechos inalienables; si es obrero y tiene varios hijos el peso sobre la comunidad es aún más abrumador. Esta manera de mezclar la sociedad privada con el presupuesto del Estado va socavando inexorablemente las bases monetarias del presupuesto nacional. Una amiga me dijo que no conseguía una empleada doméstica porque aquellas a quienes pudo llamar le dijeron: "Espéreme dos meses más y cuando termine mi renta por desocupación entraré a su casa pero por el momento prefiero irme a pasar unas semanas al borde del mar a casa de mi tía... o a la chacra de mis padres..." Justo al llegar al borde del seguro por desocupación la gente se apresura a buscar otro trabajo. A menudo lo toma por uno o dos años y vuelta a vivir del erario.

En algunas familias hay dos o tres miembros que disfrutan de ese bienestar usurpado a la comunidad.

¿Qué diríamos o más bien qué no diríamos si esto ocurriera entre nosotros? Dejo las respuestas en la mente y en los labios de mis lectores pero ya oigo la palabra: somos unos estafadores, no tenemos remedio, así nunca va a levantarse el país. Y sería la verdad, pues si Francia no es la gran potencia que merece ser, el franco va declinando lenta pero inexorablemente, si hay que recortar presupuestos que deberían ser intocables no es por culpa de ningún gobierno sino por la de miles de personas que han descubierto la manera de vivir con la ley del menor esfuerzo.

El afán de disfrutar de la vida recibiendo más de lo que se da se ha convertido en un vicio latino, es como una revancha por siglos de injusticias sociales, de falta de protección, de la frialdad del Estado.

Ignoro cuándo ese magnífico país encontrará su equilibrio así como ignoro cuándo lo encontrará el nuestro, pero no hay que ser brujo para adivinar que sólo dominando el egoísmo excesivo y pensando en la comunidad aunque sea un poquito se puede evitar la declinación de los países, ayudarlos a enderezarse sosteniendo al Estado con nuestro trabajo y nuestros hombros en vez de exigir que él nos sostenga a nosotros como si fuéramos baldados, inválidos, muy ancianos. Considero que mientras nos quede un soplo de capacidad intelectual, de fuerza para luchar debemos dar y no pedir. Es la soberbia dádiva anónima que podemos ofrecer a la tierra donde nacimos, la limosna más valiosa que la que damos a un mendigo. A menudo dar significa sencillamente no pedir y creer en la dignidad del trabajo.

29

La bendita y maldita, aborrecida e imprescindible televisión

Creo que sería interesante enumerar algunos lugares comunes que todos enunciamos cuando hablamos de la televisión. Por lo general son exactos, fieles a la realidad, pero esto no significa que ese monstruo o milagro que apareció en nuestras vidas hasta volverse imprescindible no merezca lo malo ni lo bueno que decimos de él. Comienzo:

1º: La gente lee menos por culpa de la televisión.

Naturalmente el libro cuesta plata cada vez que se lo compra. La televisión sólo cuesta, y mucho, al adquirirla pero luego nos basta apretar un botón o varios, para sumergirnos en una serie policial, en un ambiente lujoso de cualquier parte del mundo, recorrer paisajes paradisíacos y sin la menor duda, asistir a tiroteos ininterrumpidos, con autos que se desbarrancan y depósitos de combustible que estallan haciendo volar un pueblo entero.

Ahora bien: teóricamente yo, como escritora, debería estar en contra de la televisión que me quita el pan de la boca y el sentido de mi vida. Pero sería tan absurdo como estar en contra del cine cuando lo único que debemos desear es que ambos medios de comunicación masivos se pongan a disposición del escritor, compren sus libros, los adapten, los lleven a la pantalla grande y a la pantalla chica, pero desdeñarla y considerarla una rival innoble y mediocre es tan pueril como suponer que un doctor en ciencias económicas debe odiar las máquinas de calcular, las computadoras y todos los inventos modernos que han venido a ocupar el lugar del hombre.

Otro de los reparos es:

2º: La televisión vuelve idiota a la gente porque le da todo masticado, se distrae sin ese esfuerzo que significa entregarse a la lectura, cuyo hábito se ha perdido en gran parte.

Es imposible negar que se ha perdido el hábito de la lectura no sólo por lo ya consignado sino por la falta de poder adquisitivo de la clase media, si a nuestro país nos referimos. También por la falta de espacio de los departamentos modernos para albergar amplias bibliotecas; por la carencia de personal doméstico que limpie libros y anaqueles mientras nuestros alergólogos nos afirman que nada causa alergias más poderosas que el polvillo de habitación. Y no creo ser demasiado injusta si afirmo que a menudo los escritores de todas las latitudes tienen menos talento que sus predecesores: casi sin saberlo escriben con miras al cine o a la televisión, pues no hay *bestseller* actual que no haya sido trasladado a esos medios enriqueciendo a sus autores y a la audiencia.

Por supuesto, el ver personificados en actores de éxito y en actrices preciosas y elegantes a esos personajes que imaginábamos distintos hace que ya no los imaginemos de ninguna manera. ¿No ocurre eso mismo hasta con el teatro, una de nuestras más viejas artes? Desde que vi al Cid de Corneille personificado por Gérard Philippe nunca podré imaginarlo de otra manera, y también ese mismo joven genial muerto en la flor de la edad sigue siendo para mí el único Gil Blas.

3°: La televisión nos abruma con sus avisos.

Aquí estamos de acuerdo porque no sólo estamos hasta la coronilla de ver a modelos comprando lavarropas y televisores a raudales sino que cada canal hace la publicidad de su propio programa. Durante el día nos informan cinco o seis veces lo que vamos a ver a la noche; luego, el martes, ya insisten sobre lo que presentarán el miércoles y el jueves e interrumpen un filme de suspenso para que no olvidemos cuál será el programa del sábado y del domingo.

Todo esto es incómodo, pero lo verdaderamente grave es que antes de las diez de la noche, cuando comienza *la hora de protección al menor*, los canales pasen colas de las películas prohibidas para menores que la audiencia podrá mirar desde esa hora hasta la madrugada. Para colmo de males muy a menudo, para tentar al espectador potencial, vemos en medio de dibujos animados las escenas más crudas, más cargadas de sexo, de odio entre padres e hijos y todo ese arsenal de violencia familiar que se agrega a la ya inevitable violencia de los filmes de indios y colonos que se matan con tanta naturalidad como nosotros tomamos un vaso de agua.

Quizá lo más grave de los programas televisivos es la carga que encierran de esta violencia a la que me he referido; lo sencillo que parece matar a su prójimo, la falta de valor que adquiere la vida humana que los científicos sin embargo intentan proteger, prolongar, convertirla en lo que es: lo único valioso que tiene un ser vivo, pues aunque poseyera todos los bienes del mundo todos desaparecerían si desaparece ella.

Otro reproche que considero digno de ser tenido en cuenta es el hecho repetido hasta el infinito de pasar las series y películas históricas después de la hora de protección al menor. ¿Acaso los niños no deben ver la conquista de América, conocer en imágenes la vida de Cristóbal Colón? Me refiero a esa serie porque la están transmitiendo en los días en que escribo este artículo, pero podría citar a muchas otras, desde Greco hasta Cervantes o *La Guerra y la Paz*.

Los menores de catorce años no son estúpidos y si lo son debemos tratar de mejorar su nivel intelectual: darles arte e historia por televisión es hacerles un favor inapreciable.

Sería fundamental que vieran el programa de Favaloro, que puede despertar en ellos el sentido de responsabilidad y la vocación, además de informarse.

Cualquiera que lea estas páginas comprenderá que contrariamente a la mayoría de mis colegas, que afirman no tener un televisor en su casa y miran con infinito desdén este medio de comunicación masiva, yo soy una ávida televidente. Porque otro de los argumentos que nadie esgrime en defensa de la televisión es que ahuyenta la soledad.

Yo también, por culpa de la televisión, leo menos, porque todas las noches, pese a dormirme casi de madrugada, pierdo una hora de lectura para mirar algunas de esas series históricas o artísticas que me distraen y me acompañan. El silencio de la casa de aquel que vive solo es indescriptible. La necesidad de una presencia humana es tan urgente que al menos verla en colores en la pantalla chica resulta un sucedáneo bastante aceptable. Prefiero estar viendo y oyendo a los personajes históricos del día, dado que hay que ceñirse *al menú del día*, que hablar por teléfono con personas que me abruman con sus problemas sin ocurrírseles que los míos me importan más y quiero huir de ellos en forma más alegre.

En materia de televisión tengo todo lo que está a mi alcance: cinco canales, tres más de cablevisión y control remoto. Me arrellano en mi cama contra mis almohadas y, como cualquier señora gorda, me entrego al placer de ver cine gratis, sin moverme de mi casa, buen cine a menudo, como ese filme sobre el SIDA que transmitieron hace pocas semanas y da que pensar, porque a los escritores deben interesarnos los problemas actuales. Los que los ahuyentan también ahuyentan a los lectores.

Los noticieron me seducen. A las siete de la noche corro a conectar mi televisor. Nunca lo hago durante el día, salvo para ver la temperatura y la hora y a veces para quedarme mirando estos avisos que me hacen reflexionar. Miro a la vez el *Canal 9* y el *Canal 11*. Cuando comienzan los avisos en uno me paso al otro y si tengo la mala suerte de que ambos pasen avisos a un tiempo, me pongo a recorrer la pantalla para enterarme de lo que están dando en los demás.

Hace tres o cuatro años daban (por supuesto,

después de la hora de protección al menor) un programa llamado *Encuentro de opiniones*. Ahora está en un canal por cable. Es una lástima, porque apostaría doble contra sencillo que esa mesa en la que están reunidos Sócrates, María Antonieta, Zapata y Sir Thomas More, entre otros, enseñaría mucho a los adolescentes que no tienen ni la menor idea de quiénes son esos personajes, pues por lo general los padres no mantienen conversaciones interesantes con sus hijos.

Entre los avisos considero perjudiciales la incitación al juego, a veces llevada a límites inaceptables en cualquier horario, donde un señor, porque ganó la lotería, tiene una *mina* estupenda, y cuando ella aparece sola el amigo murmura que él otro *"estará descansando..."* con voz temblorosa, llena de alusiones.

Pero antes de seguir con los avisos debo terminar con mi costumbre de informarme, que hizo de mí una periodista. Cuando terminan los canales *11* y *9*, en el que escucho con sumo interés al valiente Corso Gómez, conecto el *Canal 13*, en el cual espero con paciencia a Osvaldo Granados.

Las series de Colón y Goya se emiten en el horario de protección al menor. ¿Por qué ese temor de cultivar e instruir a los jóvenes? ¿Por qué quieren que tengamos chicos idiotas?

Lamentablemente el 25 de noviembre *ATC* comenzó a emitir *Goya*, cuando se inicia la hora de protección al menor, y cerca de ese horario *Canal 9* comenzó a difundir *Pedro El Grande*. ¿Por qué ese temor de cultivar e instruir a los jóvenes? ¿Por qué quieren que tengamos chicos idiotas? Los he visto bastante brillantes en los juegos y entretenimientos, con una cultura rudimentaria por supuesto, pero no con una ignorancia total.

Justamente el domingo 23 de noviembre vi un rato la audición de Víctor Sueyro, que hace preguntas inteligentes: nombres de científicos importantes, escritores, pintores, etc... Lo que me sorprendió sobremanera es que fuera una carrera de velocidad en vez de ser una carrera en profundidad. No hay ningún motivo para que una persona, aun muy culta e inteligente, sea rápida en sus respuestas; la rapidez es un defecto y también una cualidad latina.

La televisión en sí misma como invento es una maravilla. Salvo los descubrimientos científicos del siglo XIX que alargaron la vida humana con la anestesia, las primeras vacunas, los métodos para desinfectar, las primeras posibilidades de volar, todo eso superado año a año, llegando hasta el teléfono, los antibióticos, la radio, el automóvil, creo que nada ha superado ese golpe de varita mágica que apareció de pronto en nuestros hogares, ahuyentando el silencio, la soledad, reemplazando acaso desdichadamente al cine para quien no quiere ir solo o está enfermo, pues con el retraso de algunos años las buenas películas llegan a la pantalla chica.

No obstante, considero absurdo que el Cine Club de *Canal* 7 proyecte filmes de hace cincuenta años, como ocurrió el domingo 23 de noviembre. Adoro las películas francesas, me gusta oír hablar en francés, pero me resulta insoportable la televisión en blanco y negro, sobre todo cuando todo el filme es anticuado, desde la ropa de los actores de ambos sexos, los peinados de las mujeres y los diálogos cuyo ritmo no obedecen al ritmo actual.

Sé que hay muchos aspectos de la televisión que difícilmente puedan ser abarcados en un artículo aun muy largo como éste, pero sería absurdo dejar de mencionarlos. Uno de ellos son los reportajes. Por lo general me parecen aburridos, reiterativos o agresivos. El otro, el que atrae a más espectadores, es el teleteatro. No suelo mirar telenovelas, pero cuando caigo en medio de una de ellas me sorprende la violencia y la agresividad de los diálogos. Casi siempre se trata de familias que se odian. ¿Se odian tanto las familias actuales? Lo cierto es que ni se quieren ni se respetan como ocurría en mi juventud. Los ataques verbales de los hijos a sus padres me dejan anonadada. La ternura, el perdón, la comprensión, la solidaridad están casi siempre ausentes de estas telenovelas en las cuales la vejez es aún más dura que en la realidad y sabe Dios si es lamentable envejecer.

Acepto esta deplorable realidad, pero considero urgente que la televisión argentina despoje de sus diálogos familiares la agresividad de los héroes de sus telenovelas. Por lo general se emiten en horas que no son de protección al menor, a menudo a la hora del almuerzo, cuando toda la familia está reunida y a esos chicos les parecerá natural dirigirse a sus padres en el mismo tono despectivo y rudo.

Nuestra televisión es la imagen de nuestro país: ignora el perdón. Aquí nada se perdona, ningún error es reparable, cualquier falla merece el anatema de la comunidad. Basta leer las cartas de lectores de cualquier diario para advertir el veneno que emana de personas que sin duda conversan amablemente con su almacenero, con la vecina, con el encargado del edificio. Es puro barniz. La verdad de muchas de ellas reside en detectar los errores ajenos y darlos a publicidad.

Otra cosa que me llama la atención es que ahora que tenemos el salvavidas del control remoto, que nos permite pasar a otro canal en cuanto aparecen los avisos, éstos proliferen aunque con muy poca imaginación y a veces de una tontería sin límites, como el de unas señoras que intentan confundirse *"con la manera de tener"* un televisor, y quieren hacer creer no se sabe bien a quién, que es la manera de tener hijos, por añadidura de color. Prefiero al famoso *grande jefe* aunque se les está yendo la mano, porque hasta el ahorro tiene su límite. Pero el defecto de nuestra televisión es ignorar sus limitaciones; por lo tanto los avisadores no acuden a gente con más imaginación que ellos.

Los avisos y la violencia son lo más criticable de este medio de comunicación lleno de posibilidades y que debería estar lleno de cualidades sin que tuviéramos que buscarlas como aguja en un pajar.

También me pregunto como televidente informada por qué nos han privado casi por completo de Kojak, que aparece cada muerte de un obispo. Por qué Columbo, ese detective también genial con su aspecto de infeliz, sólo pertenece a los abonados de una de las televisiones por cable, y quisiera saber adónde fueron a parar *Starstky and Hutch* y la *Familia Ingalls*. Esta última era la serie más constructiva, más pura, más sana que podían ver los menores al atardecer. Pero en nuestro país dura mucho más lo malo que lo bueno.

Quizá lo más rescatable en lo que respecta a la formación de los adolescentes son las transmisiones que les permiten conocer nuestro país como lo hizo *El Espejo*. Justamente cuando estaba escribiendo estas líneas leí en el diario que varios maestros consideraban que los programas culturales ayudaban a formar a los chicos. Citaron el que acabo de mencionar, otros de indudable valor como *La Aventura del hombre, El país que no miramos, Planeta Tierra, Mundo Animal, Historias de la Argentina Secreta* y algún otro que no conozco y han usado como complementos de sus clases. Por desventura dicen que la mayoría de los chicos prefieren los programas cómicos, y digo por desventura no porque esté contra lo cómico sino porque en nuestra televisión es casi sin excepción una nota chabacana que tiene más de grosería que de comicidad. También se refieren a los dibujos animados pero ésa ha de ser la elección de los muy chicos. No descartan el deporte, los telejuegos, en general lo que no obliga a pensar mucho y les llega masticado. El deporte es sano, nada más natural que fomentarlo, pero aleja de la cultura. Dentro de la cultura cabe el cine, y oigo con pesar que cada día van menos espectadores al cine. Justamente esta estadística fue dada por televisión hace unos días por *Canal 11* si no me equivoco; el comentarista nos informó con pesar que en todo el largo fin de semana, es decir de jueves a domingo, sólo concurrieron a las salas del centro cien mil espectadores contra ciento sesenta mil del año pasado. Uno de los motivos es evidente: estamos mucho más pobres que hace un año y por añadidura nadie sabe qué día cobrará su sueldo, su jubilación o su pensión. Vivimos sin fechas para cobrar, aunque siguen siendo estrictas las fechas para pagar cualquier servicio público. Así como se va menos al cine, apenas al teatro, se venden poquísimos libros, los restaurantes están semivacíos, la gente se repliega más que nunca en el refugio de su televisor. De ahí sin duda que la mayoría de los avisos sean de televisores para tentar al que tiene uno viejo en blanco y negro. Los otros avisos suelen ser de lavarropas y algunos de jabones y comidas de fácil preparación. La sociedad de consumo, que era el peligro que entrañaba la televisión, logró su cometido, pero en forma mucho más humilde de lo deseado: disminuyen los avisos sobre automóviles y por supuesto no llegamos a las lanchas ni a los yates. Para una población empobrecida hay que buscar tentaciones que estén al alcance del pobre; no hablo por supuesto de quien apenas tiene para comer sino de una clase media que había empezado a viajar y a tener aspiraciones y ahora vuelve con la cabeza gacha al redil.

Confieso que las dificultades económicas que sufre el pueblo argentino en todos sus estratos

—salvo trescientas familias— me causa dolor y temor. Esos adolescentes que no tienen más distracción que películas de violencia y de muerte, de sangre que fluye a borbotones, forman luego las patotas que tanto nos asustan. No quisiera ser pesimista, pero si nuestro Gobierno no acepta que la prioridad uno es levantar la situación económica de la población quizá las huelgas, las manifestaciones y las sentadas se conviertan en serias revueltas populares. Quizá si las personas importantes vieran más televisión oirían gritar a los habitantes de los barrios por sus carencias, sus rutas poceadas, sus zanjas llenas de aguas servidas; verían familias desalojadas, chicos de 15 años que se drogan y forman bandas para asaltar.

Podría abundar en esa desesperación que solemos ver en distintos suburbios de nuestra ciudad pero todo aquel que camina por las calles ve cada dos metros a un mendigo que pide limosna, y nadie necesita que yo se lo cuente. Caminar por las calles, mirar a las familias enfurecidas en la televisión por la precariedad de sus vidas son cosas que escapan a los grandes de este mundo o al menos eso ocurre en la Argentina. Nosotros mismos, al menos yo, ignoraríamos muchas de estas cosas de no ser por la televisión; a través de ella he conocido villas de emergencia y gente desesperada. Sin necesidad de ella conozco las dificultades con las que debemos debatirnos cada uno de nosotros y la falta de horizontes que consuelen del momento actual. Como vivir se ha vuelto tan difícil lo mejor que podemos hacer es entregarnos, con las precauciones que ya señalé, a esa *droga* inofensiva llamada televisión.

30

Qué es estar enamorada

Con más inspiración y en forma mucho más poética que yo Francisco Luis Bernárdez dijo: "Estar enamorado es saber que para siempre la eterna soledad está vencida."

Por desventura, "la eterna soledad no está vencida", sólo lo está un momento de nuestra vida, un lapso corto o largo, pero no tenemos ninguna garantía de que esto signifique una eternidad.

Personalmente he escrito mucho sobre el amor, pues, como repito siempre, para mí hay sólo tres motivos por los que vale la pena vivir: "el amor, la literatura y los viajes", de ahí que la edad me ofenda más que a quienes encuentran otros motivos para transitar por este mundo, como el dinero, las vanidades, los placeres transitorios, jugar a las cartas, recorrer "boutiques", incluso los deportes que, de todas maneras, tampoco podemos seguir ejercitando durante la edad madura pues ya nos falla la respiración, por no hablar de los músculos y de la fuerza corporal en general.

En el amor el cuerpo representa mucho, pero no lo es todo; además no se trata de un solo cuerpo sino de dos; es una de esas contadas armonías que la naturaleza confiere a los seres humanos y también les quita dejando en su lugar un vacío abismal e irreemplazable.

Estar enamorada es ser a la vez la persona más generosa y más egoísta del mundo. Daríamos todo cuanto tenemos al hombre querido o por el hombre querido, pero no admitimos que sea feliz lejos de nosotras. La felicidad, la plenitud, deben serle otorgadas por nuestras manos. Esto no nos ocurre sólo a las mujeres, recordemos que el duque de Windsor abandonó la corona del imperio más importante del mundo en aquel entonces a cambio de los brazos de una mujer. Y ella no intentó disuadirlo.

A veces me pregunto si no es gracias al amor que existe la literatura. Acaso también el arte, pues una mano amorosa, no sólo genial, pintó la Gioconda y otra moldeó las redondeces de la Venus de Milo y la recia textura de David. No obstante, ya lo dijo Ortega y Gasset, el amor es el privilegio de unos pocos. Los griegos de la época de Pericles no lo conocían, los chinos lo ignoraban y yo personalmente creo que para enamorarse locamente no hay que ser ni una imbécil ni una mujer interesada: hay que estar alerta a ese signo misterioso que emana no sabemos de dónde y nos hace las víctimas de un gran amor. ¿Por qué uso la palabra víctima?

Pues porque considero que el amor es una suerte de heroísmo, no pueden vivirlo ni los cobardes, ni los codiciosos, ni los avaros y quizá tampoco la gente demasiado cuerda. El amor vivido en plenitud es algo semejante a la santidad. Hay que saber despojarse de todas las frivolidades de este mundo, de todo lo superfluo, y avanzar hacia él con las manos abiertas y tendidas en una ofrenda total sin condicionamientos.

Pero ¡ay! de aquel o de aquella que crea que el amor es placer, felicidad, un momento de embriaguez irresponsable, porque el amor, pese a ser lo único por lo cual vale la pena vivir, es también lo único por lo cual podemos desear morir para olvidar la profundidad de nuestro dolor. Esa mezcla tremenda de dicha y de desdicha, esa incertidumbre que nos invade, ese temor de perder al ser querido, esa angustia mortal que nos causa su ausencia no pueden compararse a los avatares de ningún otro sentimiento.

Una mujer enamorada es tan vulnerable que ni siquiera se siente dueña de su propia vida. ¿Cómo hacer para no esperar pegada al teléfono el llamado del hombre querido y no imaginar que nos ha dejado para siempre o que ha sufrido un accidente mortal? El teléfono suena y una se precipita como un ahogado sobre el cable que le arrojan para salvarlo; entonces cae sobre ella la tremenda decepción. No, no es él, es solamente una amiga que desea matar un rato conversando. Una también quisiera hablar con ella para no sentirse tan sola, ¿pero si él llama? Entonces cortamos la comunicación de prisa con cualquier pretexto y volvemos a la espera infernal, la que nos destruye. No alejarse demasiado pues la campanilla no es lo bastante potente, no hacer correr mucha agua aunque quisiéramos lavarnos la cabeza, pero tampoco podemos usar el secador porque puede acallar el campanilleo del teléfono. Ni música estruendosa, ni la televisión demasiado fuerte, ni nada que impida oír enseguida el llamado del hombre querido. Hace muchos años escribí en una de mis novelas, titulada "Un momento muy largo": "A Nicolás no lo pienso, lo palpo, lo siento, lo llevo en mí prendido e invisible como ese vello rubio que cubre mis brazos y sólo se ve a trasluz. Todo mi cuerpo no me basta para sentir el suyo: mis mejillas, mis párpados, mi cuello se convierten en manos, en labios, en sexo de mujer". Y hoy pienso que ésa es la verdad del amor.

También pienso como entonces que a menudo una se vuelve mitómana y sufre un delirio de interpretación respecto a los sentimientos del hombre querido. ¿Acaso él nos juró amor eterno? ¿Acaso alguien en el mundo puede responder por la eternidad de sus sentimientos? Nadie es culpable en amor salvo quizás el más enamorado de los dos, que es también el único inocente. Suele ser culpable respecto a sus amigos, a su familia, a su trabajo, a sí mismo, a tal punto es dependiente de esa pasión que se llama amor como tantos otros sentimientos que ni siquiera se le parecen. Amor a los padres y a los hijos, amor a las plantas, amor al arte... ¡qué va! El amor entre un hombre y una mujer es un huracán que puede destruirlo todo a su paso y es también el llamado de la especie por el cual seguimos todos soportando las molestias de ver la luz en esta tierra.

Cuando una mujer sabe que está enamorada no significa que esté ciega y suponga que ese hombre es el mejor del mundo, significa sencillamente que no existe ningún otro hombre en el mundo. El universo entero con su corte de galaxias recuerda ese "él" que, milagrosamente, nació para hacer de ella una mujer completa y destinada a la felicidad, la más envidiable, y luego sin duda a la desdicha más indescriptible, aquella que puede provenir de la ruptura o de la muerte. Estar enamorada es resucitar a Eva en el Paraíso junto a un Adán irreemplazable. Poco importa que la fecundidad y el instinto de reproducción hayan poblado el mundo con millones de hombres: para ella hay uno solo y es muy probable que años después de haberlo perdido siga sabiendo que es irreemplazable.

Estar enamorada es sentirse impregnada por otro ser como por un perfume penetrante, pronunciar el nombre de un país, de un lugar, como si fuera el paraíso cuando para los demás es una ciudad como cualquier otra o un encantador paraje turístico. Estar enamorada es saber que la vida sin "él" es un desierto vasto y gris que se estira sin sentido, es tener casi siempre, sin razón aparente, los ojos llenos de lágrimas, oír las conversaciones como si fueran meros zumbidos de abejas. Sólo su voz nos despertaría. Es saber decir en todos los idiomas: te quiero, *I love you, je t'aime, ya lioubliou, ti voglio bene, ich libe dich,* y aplicar junto a esas expresiones el nombre querido. Y cuando no hay respuesta preferir estar muerta.

Porque es demasiado triste, opaco y monótono avenirse a la vida cotidiana después de haber conocido la revelación.

31

El turismo como fuente de divisas

Cuando Manrique era joven hablaba poco y hacía mucho. Ahora habla mucho y hace poco. También entonces se ocupaba de los jubilados y ahora, de pronto, quiere convertirnos en un país de boy scouts.

Hace pocas semanas lo oí, estupefacta, decir por televisión que si no tenemos aviones o autos debemos salir con carpas y mochilas. ¿Ese turismo interesa a nuestras arcas vacías?

Su otra afirmación sorprendente fue opinar que los argentinos no conocen su país. Sería interesante que recordara que justo en el momento en que sacaba estas extrañas conclusiones transcurrían las vacaciones de invierno. En Mar del Plata, departamentos, hoteles y restaurantes se sentían como en plena temporada. En Córdoba era imposible encontrar cuartos ni en los grandes hoteles ni en las pensiones. Lo mismo ocurría en Salta, Tucumán, Río Hondo, Rosario de la Frontera. El Hotel Internacional del Iguazú, nuestro gran orgullo nacional, desbordaba de reservas que no podían ser atendidas. Misiones era visitada no sólo por viajeros que viven en hoteles sino por miles de casas rodantes y de gente que acampaba a la intemperie, cosa fácil para los jóvenes en ese bendito clima. En cuanto a Bariloche, Chapelco, Las Leñas y demás lugares de esquí rebosaban de turistas pese a la huelga de Aerolíneas que retuvo a algunos en la ciudad. Durante el verano los cruceros a Ushuaia tuvieron siempre éxito. No creo necesario mencionar a todo el país, pero creo que estas muestras bastan y pueden ser verificadas por el flamante secretario de Turismo, cuya obra en favor de los jubilados nunca será olvidada ni bastante apreciada. Pero al parecer entiende mejor a los ancianos desvalidos que a los jóvenes rozagantes. Es un punto a su favor entre otros...

No obstante la crítica constructiva nunca ha hecho mal a ningún funcionario y sería interesante hacerle notar a Paco Manrique que su idea, ya barajada por otros el año pasado, de juntar los feriados ha de parecer estupenda a los ricos que disponen de casas de fines de semana, pero pone los pelos de punta a los padres de varios hijos en edad escolar, de clase media, o de pocos recursos, que tendrán a los chicos tres días seguidos rezongando porque quieren lo que no se les puede dar.

Otro factor, éste sí muy grave, es la falta de

atención médica que sufrirían los enfermos durante más de setenta y dos horas, dado que los médicos actuales de cierta importancia, los que tienen una situación económica desahogada, se van los viernes de tarde y vuelven a última hora del domingo de sus "countries", esos monumentos a la vanidad humana y a la esterilidad donde nadie cría ni una gallina. ¿Por qué no una granja? En fin, cada generación elige su propio suicidio. La que nos sigue elige pensar lo menos posible y fingir que goza lo más posible aunque han renacido los infartos juveniles y están siempre de mal humor, no les divierte nada, no cuentan un chiste, ni anécdotas; no ríen, parecen ignorar lo que es disfrutar de la vida, cosa natural dado que el dinero y los objetos son las trampas más sencillas del diablo: siempre se corre detrás de lo que una vez alcanzado se convierte en cenizas entre las manos.

Volviendo a la ausencia médica. Estos feriados de tres días significarán que los médicos partirán los jueves de tarde y volverán el lunes de mañana o partirán el viernes de tarde y volverán el martes de mañana, salvo los que ganan poco y están haciendo huelgas, entonces tampoco atienden a los pacientes.

Basta de feriados. Basta de gobernar para ricos haciendo verbalmente demagogia. En un país pobre más que cambiar los feriados al viernes o al lunes se suprimen los feriados, como lo hizo Alemania después de la guerra para no citar siempre a Japón y como necesitamos divisas no impulsemos a los mochileros que quieren viajar a dedo sin la protección de ningún seguro, lo que hace que sean los protegidos de por vida del automovilista incauto que los levanta. Que nos traigan extranjeros, con divisas fuertes: japoneses, alemanes, suizos, americanos del Norte y franceses, en ese orden, más ''todos los hombres del mundo que quieran pisar el suelo argentino'', pero que nos enriquezcan en vez de empobrecernos, que no se conviertan en un nuevo peligro en las carreteras ni corran el riesgo de unirse a ese vandalismo que sufren quienes viven fuera de las grandes ciudades y también quienes vivimos en ellas, a tal punto que cuando nos roban el estéreo del coche lo más sencillo es no colocarlo hasta salir de vacaciones y entretanto dejar todos los cables al aire y un cartel que rece: ''No hay estéreo, ya lo robaron'', pues sería una lástima que se molesten en romper los cristales para no encontrar nada. Hay que respetar el tiempo ajeno, ¿verdad?

En cuanto a refaccionar estancias, como se hace en Europa con los castillos, tiene sentido en San Antonio de Areco dado que por añadidura ayudará a conocer la literatura argentina, pues hay un Museo Güiraldes. En las demás su atracción ha de ser dudosa pues en los países con turismo extranjero intensivo esos castillos nos sirven para estar magníficamente alojados entre un punto y otro de las grandes ciudades, pero aquí los cascos de estancias fueron y son el acompañamiento del trabajo de campo, lo más genuino de nosotros, nuestra única raíz verdadera. Hay tanto bueno para copiar de Europa que no sé por qué debemos elegir lo ajeno a nuestra idiosincrasia. "Seamos lo que debemos ser", si no, no seremos nada.

32

El Turista: ¿Flagelo o bendición?

Aquellos que hemos ido a Europa desde nuestra adolescencia, que hemos pasado largas temporadas en ese continente e incluso hemos vivido dos o tres años en alguna ciudad mágica como Roma o París, sentimos, lo mismo que los parisienses o romanos de origen, una suerte de violación ante esa nueva especie humana nacida de la sociedad de consumo como un bebé de una probeta que se llama "el turista".

A menudo somos injustos, pues los países necesitan el turismo como una de sus grandes fuentes de recursos y en algunos de ellos podríamos decir que es su industria principal, "la industria sin chimeneas", como la llaman algunos. Para el Uruguay, por ejemplo, el turismo es una de sus entradas importantes, pero ese turismo compuesto por cada uno de nosotros es, por lo general, de una capa social elevada, casi diríamos una parte de su población, dueña de departamentos o casas, que podríamos denominar su población flotante; es la persona que lleva su coche, habla el mismo idioma, salvo un porcentaje de diplomáticos (mínimo) que pasa por allí tres o cuatro meses y da trabajo a los habitantes de Maldonado, las mucamas, los jardineros, los obreros de la construcción, siempre ocupados en alguna refacción de un "chalete", del que se han roto varias tejas o necesita pintura. No me refiero en esta nota a esa clase de turismo, sino al golondrina, al que pasa por primera y acaso única vez y nos pone los pelos de punta.

Durante mi última estada en París pude observar diversos fenómenos chocantes que hasta hace pocos años no se veían en las grandes ciudades. El más ofensivo y evidente reside en los hombres jóvenes que en los días de mucho calor recorren las calles, las avenidas, aun les Champs Élysées, vestidos únicamente con un mínimo short de baño, el torso desnudo como si estuvieran en una playa. Todo el mundo puede soportar una remera y un pantalón liviano sin por eso morir de calor; ¿acaso no soportamos los demás una vestimenta adecuada? No me sorprendería que las mujeres jóvenes que copian las costumbres de Saint Tropez empiecen a pasear también con el torso desnudo para la felicidad de muchos transeúntes, el escándalo de otros y la posibilidad de choques automovilísticos en cadena.

Ya pasó la época en que iba una especie zoológica argentina que se robaba las colchas y las cortinas de los hoteles; hasta me dijeron, aunque me parece imposible, que alguien se robó una puerta.

"Ahora Europa está muy cara para los argentinos", al menos, lo primero que nos preguntan cuando llegamos es: "¿Está muy caro?" ¿Y por qué va a estar barato? No pretenderemos que los países de monedas fuertes se pongan a la par de los de monedas que ni siquiera cotizan por su extrema debilidad y su inestabilidad insalvable. Otros llegan gritando: "Está carísimo no se puede comprar nada". Craso error. Yo he comprado ropa por la tercera parte de aquí, por supuesto que aproveché las liquidaciones. Pero al menos es más original, no la tiene "todo el mundo" y su calidad suele ser mejor.

Pese a la ausencia de los chillones sudamericanos y a la paz que nos proporciona no oírlos gritar de una acera a la otra: "Vengan aquí, cuesta mucho menos..." y aturdirnos en los restaurantes como lo hacen en Buenos Aires hablando en voz tan alta que no podemos oír ni a nuestro compañero de mesa, quedan otros turistas sorprendentes. En primer lugar, la invasión de japoneses, con sus yens imbatibles, que entran de a varios en las boutiques y compran tanto que los vendedores no pueden atender a quienes no tienen la piel amarilla.

Hay menos árabes ricos y, por lo tanto, menos ostentosos que antes; al menos a mí no me tocó ver, como cinco o diez años atrás, caravanas de mujeres con velo cuyos autos seguían de cerca el de su dueño y señor. También hay menos negros, en parte por los graves problemas por los que atraviesa Sudáfrica; la debilidad del dólar ha hecho que disminuyan los que llegaban desde los Estados Unidos. Hay más alemanes, más suecos, más gente muy rubia, a menudo desgreñada, semidesnuda, como ya lo consigné, pero también más culta. Porque todo ese mundo que insulta a la noble ciudad llamada París mientras se pasea por ella como por una playa se interesa también por los museos.

Hace menos de dos años que se inauguró el gigantesco Museo d'Orsay, edificado dentro del cascarón de la estación que llevaba ese nombre y, aunque los clasicistas vituperan contra su arquitectura moderna, su blancura inmaculada, sus luces que iluminan a la perfección cada cuadro y cada escultura y toda esa colección de impresionistas que antes no podíamos admirar con tanta precisión en el Jeu de Paume, confieso que me deslumbró. Es otra concepción del arte, si se quiere, es una manera de ponerlo al alcance de todos, no tan extravagante, pues ya encontramos un ensayo de esta nueva forma de mostrar en ambientes asépticos y ultramodernos la obra de los artistas del siglo pasado en el Museo Van Gogh, de Amsterdam. Pero es natural que quienes hemos tenido una educación clásica tardemos en adecuarnos a las innovaciones. Pues bien, ese museo que Francia debe al gobierno actual está frecuentado en su mayoría por jóvenes, gran parte de ellos turistas de los Estados Unidos y de todos los países de Europa, esos mismos que nos causan indignación cuando se despojan de sus ropas y recorren la ciudad. Aunque sólo fui dos veces no vi ante el Museo d'Orsay esos enormes ómnibus de turismo; parecería que es un peregrinaje que cada cual desea hacer por su cuenta o acaso sea una mera casualidad y vayan allí como al Follies Bergère y al Lido, pero a mí no me tocó verlos.

Me refiero a esos turistas de los "tours", porque me parecen conformar una fauna insoportable. En cuanto llegan se estropea el servicio de los hoteles; tanto es así que los más refinados no los aceptan.

Pero seamos justos, ¿de qué puede vivir un hotel, sino del turismo? Ninguno de nosotros vamos a vivir a los hoteles de Buenos Aires; tenemos nuestras casas como los habitantes estables de cualquier país del mundo. Por lo tanto ignoramos cuál es el trato que reciben los viajeros en uno u otro hotel. Sería interesante iniciar un paseo de turistas golondrinas en nuestra ciudad para tener una idea clara de una realidad propia y que ignoramos, salvo por los comentarios de amigos extranjeros. Quizás esto nos enseñará a ser más indulgentes. Todos sabemos que la indulgencia no es una cualidad argentina.

33

Los chicos que comen caramelos

El 23 de noviembre del año pasado miraba yo el noticiero de Canal 9 mientras Corso Gómez le decía al señor Fernando Alfonsín: "Según las Naciones Unidas nuestro país tiene tres millones y medio de niños desnutridos". El doctor Fernando Alfonsín contestó sin titubear: "Las cosas no son así. Un chico de familia bien que come caramelos puede estar desnutrido". En verdad hay respuestas que sobrepasan el respeto al oyente y colman nuestra capacidad de asombro. Si alguien no tiene derecho a darlas aunque sea para defender el juramento que, muy a su pesar, el Dr. Ricardo Alfonsín no pudo cumplir, es el hermano del presidente de la República por respeto al oyente y a la alta investidura de su hermano.

Durante todo el año hemos visto en pantalla chica a niños desnutridos a causa de algunos fenómenos naturales como las inundaciones, la falta de presupuesto para los hospitales, los pobres sueldos de sus padres.

Los chicos que comen caramelos han comido antes un buen bife, o dos o tres milanesas con puré, una sopa, tallarines, el menú corriente de la clase media argentina. Los desnutridos a los que se refieren las Naciones Unidas no han comido nada de eso, carecen de proteínas no por comer caramelos sino porque sus padres no pueden darles carne o huevos y eso lo sabe el entrevistado lo mismo que usted o yo.

Nunca nuestro país ha estado tan pobre como ahora y nunca los pobres han sido tantos; la clase media se desliza como por un tobogán hacia una pobreza semejante a la del proletariado.

Quiero admitir que el actual Gobierno tiene una parte mínima de culpa y sé, como todo argentino, en qué estado recibió el poder. Pero también sé que se gasta en lo superfluo diez veces más de lo imprescindible, como por ejemplo en comitivas presidenciales que doblan a las del presidente de los Estados Unidos.

Las famosas cajas del PAN que tanto dieron que hablar cuando se realizaron las elecciones del '85 tampoco son distribuidas equitativamente y por añadidura antes de darle a sectores necesitados productos que no sabe cómo preparar sería importante asesorarlo. Hace unos días tuve la oportunidad de ver con mis propios ojos a un chico que abría una caja de calditos de carne y se los iba comiendo como caramelos ante los ojos indiferentes de la madre. Tal vez sean ésos los chicos que comen caramelos o creen comerlos.

¿Por qué los gobernantes se mantendrán a distancia de nosotros, los hombres de la calle, los que vemos, los que observamos, los que sabemos, los que oímos? ¿No comprenden que ese aislamiento los lleva a cometer errores semejantes a los que cometían los zares y los reyes? Sería tan fácil hablar; no les cobraríamos un centavo ni les pediríamos un cargo en ninguna embajada, pero ayudaríamos al país.

En la Argentina las diferencias económicas eran mucho menos notables que en los países industrializados. No nos era dado presenciar el despilfarro de los actores y actrices de Hollywood y teníamos una ancha franja de clase media que vivía con decoro y permitía que otra franja de clase media también viviera con decoro, es decir, los escritores, los artesanos, las modistas, los profesores de idiomas y de deportes, los dueños de restaurantes relativamente modestos y de las "boutiques". Los peluqueros se hacían millonarios si conocían bien su oficio y la rueda giraba sin que rechinaran demasiado los engranajes. Ahora estamos empantanados; la gente sueña con ganarse el Prode.

Antes se hablaba de las doscientas familias; yo no sé si son tres mil o cinco mil pero las encuestas sobre los veraneantes nos demuestran que el uno por ciento del país viaja y veranea. Otro uno por ciento vive sin demasiadas zozobras y puede comprarse un televisor en colores. No sé muy bien qué porcentaje tiene auto, pero lo indiscutible es que veinticinco millones de habitantes lo están pasando muy mal y que cada uno de nosotros cada año lo está pasando un poco peor que el año anterior.

Cabe preguntarse por qué el Gobierno no admite humildemente que el Plan Austral "se pinchó" pues aunque la inflación sea infinitamente menor que la del '84 el poder adquisitivo de la población es uno de los más bajos del mundo. Sabemos que el doctor Alfonsín quería "levantar las cortinas de las fábricas" y que "juró que ningún niño argentino moriría más de hambre". Transitamos un camino peligroso, nunca ha habido más robos, más asaltos, más drogadicción, nunca hemos temido tanto por nuestras vidas y por nuestros bienes aunque sean pocos. Blindamos las puertas, ensordecemos al vecindario con las alarmas de los autos que alguien intenta robar aunque sólo se puede dejarlos en la calle si no se tiene estéreo.

Todo eso es anecdótico. El fondo es tanto más amargo que no me atrevo a sumergirme en él. Pero si toco el tema es porque creo firmemente que el Gobierno aún está a tiempo de corregir errores y de mirar hacia abajo. También debe mirar hacia arriba pues a lo mejor Dios existe y puede inspirarlo. Aunque uno no pertenezca al grupo de los desheredados puede tener una profunda sensibilidad social y la insensibilidad de ciertos funcionarios nos permite pensar que si se les clava un cuchillo se desintegrarán como en las películas de ciencia-ficción porque nadie que tenga sangre en las venas puede mirar el estado actual del país sin buscar soluciones más humanas para aliviar su desesperanza.

Y, como siempre, insisto en que Dios y la Patria se lo demandarán, como se lo están demandando a todos los que no respetaron los derechos humanos. Tener tres millones de chicos desnutridos y de ancianos agobiados no es la mejor manera de interpretar los derechos humanos; no pagar las jubilaciones ni los sueldos mientras se aumentan las tarifas y los servicios públicos es una actitud que prefiero no calificar.

34
Los riesgos de la soberbia

En la infancia nos enseñaron que hubo un ángel de una belleza deslumbrante llamado Luzbel. Confió demasiado en sí mismo, se le enfrentó a Dios quien lo mandó a los infiernos y desde entonces se llamó Lucifer. Había cometido el pecado de soberbia.

Bajando modestamente a nuestra época, a nuestro planeta y a nuestro país acabamos de presenciar en las últimas elecciones que el pueblo, por supuesto menos omnipotente que Dios, tuvo que conformarse con demostrar en las urnas su descontento ante la política socioeconómica del Gobierno, una de cuyas futuras medidas nos tiene aterrados a todos por su costo y su desacierto en todos los terrenos como es en plena crisis plantear el traslado de la Capital a Viedma. No existe ningún motivo valedero para tomar semejante medida, sacar la Capital de un clima benigno para llevarla al más frío y ventoso del país. Ni un niño de pecho puede pensar que casi todo ese gasto puede pagarse con la venta de una Embajada, salvo que en vez de estar construida con ladrillos lo haya sido con lingotes de oro. ¡Y aun así...!

"Con el árbol caído todos hacen leña" por lo tanto me duele un poco unirme a las voces que hablan de "un voto de castigo" pero no hacerlo sería faltar a la verdad.

El Dr. Alfonsín ha demostrado no ser nada supersticioso al elegir como fecha para los comicios el 6 de septiembre cuando cincuenta y siete años atrás en esa fecha se levantó por primera vez el ejército y derrocó a Hipólito Yrigoyen. Hay tanto otros días en el calendario, trescientos sesenta y cuatro más, al menos. Además nos ha demostrado durante cuatro años que no comprendió con que ánimo fuimos a votarlo el 30 de octubre del 83. Fuimos con amor, con pasión, con fe, con confianza, ilusionados, entregados, esperanzados como si nos llegara un Mesías. Muchos luchamos durante seis meses para apoyar su candidatura y cuando al fin asumió el poder en medio del entusiasmo cívico, tanto él como sus colaboradores nos dieron fríamente la espalda y eligieron a correligionarios como si sólo con el voto de ellos hubieran podido alcanzar el triunfo.

En este mundo todo se paga, esperemos que no haya que pagarlo también en el otro. Yo nunca he cometido un error sin haberlo pagado con intereses usurarios por eso creo en una justicia inmanente y sé que aunque me arrepienta y sienta remordimientos nada me será perdonado. En verdad todas las religiones nos han demostrado a un Dios severo e inflexible, Jehová no perdonaba y los dioses mitológicos, comenzando con Zeus, nunca fueron clementes. La religión católica tuvo que entregarnos al Hijo de Dios para que así los hombres conocieran una imagen imbuida de bondad y perdón. Luego vinieron los santos cada cual destinado a proteger los inumerables matices de los humanos, uno está para dar pan y trabajo, otro para consolar, para los enamorados, hasta tenemos a una patrona de lo imposible. Pero pese a los buenos oficios de Jesús, de nuestro santo predilecto o santa predilecta, seguimos pagando al contado rabioso.

La vida humana es corta aunque sea larga la de los países, pero un gobernante no asume para escribir la historia sino para mejorar las condiciones de sus conciudadanos de los cuales muchos morirán antes de que él termine su mandato. De ahí que nadie les reclame "obras faraónicas" según la nueva y acertada expresión que alguien, no recuerdo quien dijo por primera vez y ahora todos repetimos. Somos mortales y mucho más aquellos que ya hemos transitado la mayor parte de nuestra vida de ahí que lo que más se le reprocha a este Gobierno es su insensibilidad con los jubilados, muchos de los cuales no cuentan con otros recursos.

Los jóvenes tienen la vida por delante pero son impacientes por naturaleza ¿quién de nosotros no fue impaciente en su juventud? Y no encuentran trabajo, no vislumbran futuro como tampoco personas de diversas edades pues el país está estancado. De ahí que las masas se vuelquen al juego como la única posibilidad de salir adelante.

Sería un acierto que el Gobierno recordara los siguientes puntos: ¿Por qué la mayoría del electorado votó en el 83 al Dr. Alfonsín? Porque era la opción. No sólo votó en su favor sino en contra del peronismo. Esto demuestra que deseaba un partido de centro equilibrado y seriamente interesado en el bienestar de todos los ciudadanos. Ahora bien ¿Por qué una gran mayoría votó por el justicialismo en septiembre del 87? Porque deseaba un cambio, "a cualquier precio" dado que peor no podía estar y no alimentaba ya ninguna esperanza de levantar la cabeza. Al menos quitaba la naftalina de los retratos de Perón y podía volver al amor de su caudillo. Otra gran minoría o pequeña mayoría se volvió a la UCEDE. Comprendió que era un partido coherente que no trasladaría la Capital a Viedma con el precio de la venta de una Embajada y sería francamente liberal en vez de nadar entre dos aguas... Ya el radicalismo había perdido el apoyo de las Fuerzas armadas cruelmente ofendidas sin un momento de respiro, el de la Iglesia, el de los ganaderos, los industriales, la CGT, los asalariados, la burguesía venida a menos que no podía hacerle más agujeros al cinturón. La moneda que iba a ser milagrosa perdió tres ceros, cambió de nombre pero no fue cotizada en ningún país del mundo. ¿Qué esperaba el radicalismo entonces de estas elecciones? Lo que ocurrió.

Sólo algo resulta todavía importante, continuar en democracia, cosa que no se hace con un solo partido en el poder sino con opiniones diversas. Todos sabemos poner el hombro para mantener la democracia, consolidada el 6 de septiembre, y apoyar al Presidente. Sólo rogamos a Dios que se separe de ministros insensibles que creen mover piezas de ajedrez en vez de comprender que gobiernan a seres humanos y se dedique a reparar sus errores.

Esperemos que así, con algunas medidas acertadas, se alivie la desesperanza del pueblo y se detenga el auge de la delincuencia que hoy supera la de los países de Europa, cosa que no ocurría hasta hace cuatro años.

venida a menos que no podía hacerle más agujeros al cinturón. La moneda que iba a ser milagrosa perdió tres ceros, cambió de nombre pero no fue cotizada en ningún país del mundo. ¿Qué esperaba el radicalismo entonces de estas elecciones? Lo que ocurrió.

Sólo algo resulta todavía importante, continuar en democracia, cosa que no se hace con un solo partido en el poder sino con opiniones diversas. Todos salimos poner el hombro para mantener la democracia, consolidada el 6 de septiembre, y apoyar al Presidente. Sólo rogamos a Dios que se separe de ministros insensibles que creen mover piezas de ajedrez en vez de comprender que gobiernan a seres humanos y se dedique a reparar sus errores.

Esperemos que así, con algunas medidas acertadas se alivie la desesperanza del pueblo y se detenga el auge de la delincuencia que hoy supera la de los países de Europa, cosa que no ocurría hasta hace cuatro años.

[illegible] intelectuales [illegible]

[illegible] que nosotros.

En la [illegible] cocina el [illegible] plata, y la [illegible] ya [illegible] pagado y funciona a toda hora aunque nadie en la familia esté prestándole aten-

35

El hábito de la lectura

Cuando comienzo a escribir estas líneas, que eran desesperanzadas, me entero de que el Premio de la *Federación de Gremios de Editores de España* de la *Feria Líber'87* ha sido otorgado a Bonifacio del Carril, lo que también significa a Emecé.

Una lucecita se ilumina en mi panorama oscuro, como es el de todo aquel que desde su adolescencia fervorosa piensa que sólo vale la pena vivir para leer y escribir y advierte, con el correr de los años, que diversos factores han hecho desaparecer el hábito de la lectura. Esto es en parte universal, pero sólo en parte, dado que mis amigos en París leen, sin duda menos que antes y no me refiero a los intelectuales, pero mucho más que nosotros.

En la Argentina el libro cuesta plata y la televisión ya ha sido pagada y funciona a toda hora aunque nadie en la familia esté prestándole atención. Pero aun sin llegar a esos extremos, confieso que yo misma leo alrededor de una hora menos por noche que antes si dan una buena película. Leer es un acto volitivo que exige de nosotros un motor interior que se ponga en marcha, la televisión sólo requiere que apretemos un botón y cualquiera que sea el programa que den, desde un noticiero hasta un film de cowboys o una ópera o un ballet basta apretar varios botones para que el programa nos llegue masticado, sin requerir sino un mínimo esfuerzo de atención.

Si no se está abonado a una televisión por cable, el momento de los avisos nos sirve para ir a lavarnos los dientes o a buscar agua o emplearlo en otra tarea. La televisión, por lo tanto, es la gran enemiga del libro. Podría ser su gran amiga si los gobiernos se ocuparan de que los libros fueran adaptados a ese medio de comunicación masiva, pero no solamente los de los amigos, sino los de todos los escritores que han hecho algo perdurable, han obtenido algún premio, han sido traducidos a algún idioma, es decir los que valen algo pese a las opiniones de los gobernantes de turno. Todo el mundo sabe quiénes son los escritores que cuentan en la Argentina menos aquellos que disponen de un espacio cultural en algún canal de televisión.

Hace pocos días oí una parte de un programa sobre el erotismo femenino. Nadie mencionó mi novela *Un momento muy largo*, Primer Premio

Municipal, best seller, etcétera. ¿Qué ganamos con ignorarnos los unos a los otros? Ningún libro más hondamente erótico que ése, pero las colegas algo más jóvenes fingen ignorarlo.

Después de este paréntesis, si se quiere personal pero en realidad literario, debo seguir hablando del tema doloroso que elegí, mal llamado "el hábito de la lectura", pues quiero referirme a que ese hábito se ha perdido para mal de cada ser humano que no sea analfabeto. Nada en la vida cotidiana reemplaza un buen libro, salvo por supuesto una espléndida noche de amor, un viaje exótico; pero todo esto es más inalcanzable. El libro está al alcance de todos. No obstante despierta temor. Antes de comprarlo, vemos al lector en potencia mirarlo, darlo vuelta, leer la contratapa, antes llamada solapa, y podemos imaginar sus pensamientos: "... ¿y si me clavo? Si es aburrido habré gastado plata en vano". Cuántas veces compramos un par de zapatos que nos duele y no podemos usar más o un traje que no nos sienta. Pero "clavarse" con un libro o con un espectáculo parece más injusto. Me refiero a los espectáculos porque también el cine sufre de la ausencia de espectadores. Eso puede tener más sentido, pues es necesario desplazarse, gastar en un medio de transporte, tomar frío, salir de su casa. Pero leer es tan confortable. Es tener entre sus manos a un amigo que no siempre responde tanto como quisiéramos, pero tampoco nos defrauda tanto.

Ya lo sé, y lo dice Del Carril, a la gente le falta valor adquisitivo, vivimos inmersos en una crisis financiera, pero también intelectual. Para leer hay que estar en paz con uno mismo. Decidir no pensar ni en las tasas, ni en la suba del dólar, ni en el pagaré a levantar, ni en cómo nos vestiremos para la recepción del día siguiente. Leer es una entrega y el hombre de hoy teme entregarse; a menudo está con el oído atento al menor ruido porque ya han asaltado el piso de abajo o el de arriba o lo han asaltado a uno mismo. El auge de la delincuencia también conspira contra contra la serenidad del lector.

A esta serie de conspiraciones a las que me he referido no se oponen muchos alicientes. En París leen más porque están allí traducidos o en su idioma original los libros del mundo entero. Aquí nuestros valientes y esforzados editores nos ofrecen un puñado de best seller. Hacen lo que pueden, quieren vender rápido para cubrir el desembolso, saben que el público no compra el libro de hace tres meses, salvo *El nombre de la rosa*, que confirma la regla. Además, los países de Europa se comunican y compran los libros de un país en otro, la cultura moribunda aún allí goza de bastante salud; la mejor vacuna contra la ignorancia es el intercambio entre los pueblos y falla en un mínimo porcentaje.

Pero aquí se ha perdido de tal modo el hábito de la lectura que ya ni siquiera nos piden libros prestados a quienes tenemos los recién salidos del horno, y los que hemos traído del viaje, y una biblioteca. La consigna es sencillamente "no leer". De todos modos, hasta la madrugada la televisión llenará la mitad de nuestra mente, mientras la otra mitad sigue con sus preocupaciones habituales.

Lo cual no impide que milagrosamente nos paren en todas las esquina para comentarnos nuestra nota en LA NACION. El libro muerde, pero el diario no. Afortunadamente. ¡Ojalá, al menos, la gente siga leyendo diarios!

Notas y homenajes

36

Sobre Eduardo Mallea

Un día inolvidable de 1938 Atilio Chiappori, gran amigo de mi padre, me llevó al Suplemento de LA NACIÓN en el cual deseaba colaborar. Llevaba un acto en verso en el cual los reyes de Francia se reunían para ver cómo sortear el incierto futuro. Se llamaba *Las Sombras* y tuvo un éxito inusitado. Eduardo Mallea dirigía en aquel entonces el Suplemento. Le interesó mi obra y la publicó casi de inmediato. Fui uno de los tantos escritores descubiertos por él. Fuimos dos o tres generaciones de hombres y mujeres con vocación verdadera que Mallea supo detectar y, digámoslo sin falsa modestia, no lo defraudamos a lo largo de nuestra vida dedicada a las letras en un país en el que la profesión de escritor es la forma más larga y constante del heroísmo. Mallea había sido el ídolo de mi reciente adolescencia, gracias a él descubrí la Argentina oculta y me enfrasqué en gramáticas castellanas, la historia de Belgrano y San Martín de Mitre, las Memorias del general Paz. Hasta leer *La ciudad junto al río inmóvil* e *Historia de una pasión argentina* sólo leía en francés y miraba hacia Europa. Gracias a Mallea di la espalda al río y miré nuestra tierra sin perder por supuesto la conciencia de que nuestra cultura provenía de la cuenca del Mediterráneo y nunca debíamos renegar de nuestras fuentes. En aquel entonces no había cartas abiertas que nos impedían expresarnos. Un escritor era responsable de su opinión sin verse obligado a perder su tiempo contestando sandeces. Mallea nos servía a todos de escudo con su talento profundo y su distinción serena y viril. Fue un gran escritor y fue todo un hombre.

37

Memorias de una artista

La moda de las memorias, las biografías, autobiografías y confesiones ha vuelto después de un eclipse de treinta años. En realidad es natural que nos interesemos en la vida de las personas a quienes admiramos y es positivo que estas vidas sean narradas por ellas mismas o a su dictado, es decir, con la autorización de los personajes célebres, dado que las familias se empeñan en deformar sus imágenes después de muertos.

Los actores de antes no hacían escribir sus biografías quizá por el sencillo razonamiento de saberse muy conocidos a través de las revistas que les dedicaban amplias reseñas, de innumerables fotos, de ataques a su intimidad y de su propia actuación en la pantalla. Existe también una especie de superstición según la cual escribir memorias es declararse viejo o suponer que la vida está ya terminada. Es un error. Toda existencia se divide en etapas y al llegar al principio de la madurez, como Sofía Loren, o francamente a la vejez, como Marlene Dietrich, hay mucho que contar sin que esto signifique que en el porvenir sólo quede el asilo de ancianos. Hay una edad en que la mirada retrospectiva resulta valiosa, dado que "el niño es el padre del hombre", que nuestra personalidad se plasma en la adolescencia, florece en la juventud y da sus plenos frutos alrededor de los cuarenta años. Dejar que todo eso caiga en el olvido o sea encubierto por hijos con un falso sentido del honor es imperdonable cuando alguien ha llegado a ser un personaje público.

Por supuesto, nadie se atrevería a escribir sobre Sofía Loren lo que ella quiere callar o mostrar veladamente, ni sobre Marlene dar datos tan precisos como sobre Catalina la Grande, ya que no tiene herederos que hagan juicios; pero esta biografía sobre Marlene es más franca que la mayoría de las dedicadas a mujeres aún vivas y en vigencia.

Marlene es alemana; por lo tanto no tiene ese miedo a que se sepa que ha tenido una vida sentimental y sexual como la mujer latina, que pese a la libertad actual sigue conservando un trasfondo de pudores y hasta un sentido reverencial por la pureza femenina.

Afortunadamente Marlene no le prohibió a su biógrafo que mencionara sus grandes amores: Joseph von Stenberg, Erich María Remarque, Jean Gabin y John Gilbert, además de su marido por supuesto. Charles Higham se refiere a todo esto con dignidad, sin acentuar, sin entrar en secretos de alcoba, pero no comete la ridiculez de tapar lo que forma la esencia de todo ser humano normal: el amor. Si Marlene con su belleza y su fama no hubiera querido mucho y no hubiera sido muy querida pensaríamos que ha vivido una aberración.

Además de incursionar con discreción pero firmeza en su vida sentimental, Higham sigue en orden cronológico las dificultades y los éxitos de la carrera de esta actriz extraordinaria. Nos describe su amor por su hija, su generosidad, su indignación ante las persecuciones nazis y su afecto por los judíos, pues Marlene siempre fue filosemita.

Marlene ya va a cumplir setenta y ocho años y esto es quizá lo más melancólico del libro, pues sentimos que ha llegado al final de su carrera artística, no filma desde el 64, no actúa desde el 75. Cuesta imaginar que estas memorias puedan ser un punto final y no creo desacertado suponer que en cualquier momento la veremos aparecer de nuevo en un papel a su medida, y su belleza, su talento y su encanto podrán surgir en el personaje de alguna anciana dama.

38

Encuesta sobre la Conquista del Desierto

En primer lugar considero más exacto hablar de Campaña del Desierto que de Conquista del Desierto, dado que sólo se conquista lo que no nos pertenece y el desierto nos pertenecía desde que Magallanes sentó sus reales en Puerto San Julián. Si bien la primera avanzada en 1833 de Juan Manuel de Rosas quedó como un hecho aislado, la guerra sin cuartel se desató 46 años después cuando Roca, Mitre, Sarmiento y Rivadavia lograron reconquistar nuestro territorio de manos de los indios. Nuestro país no podía llamarse tal mientras era asolado por los malones. Roca comprendió que además de llevar cinco divisiones a la Patagonia debía transportar cantidades de agua, alimentos y medicamentos; gracias a su previsión pudo alzar la bandera argentina en Choele-Choel. Otros héroes menos conocidos lo secundaban en el Norte y en el Sur. Carmen Molina de Bustamante, prima de mi madre, aunque mucho mayor que ella, nos contaba que cuando tenía seis o siete años un malón irrumpió en la estancia de su familia, Laguna Brava. Todos se refugiaron en lo alto del mangrullo sabiendo que, salvo un milagro, pocas horas después violarían a las mujeres, matarían a los hombres y prenderían fuego a todo lo edificado y juntado con amor y cultura. Afortunadamente, un portugués, José Coelho de Meyrelles, mi bisabuelo, primer poblador de Mar del Plata, que andaban por la zona, avanzó intrépidamente con sus bandeirantes salvando La Brava y también a esa familia que era la suya, pues su único hijo, mi abuelo, acababa de casarse con Rosalía Torres, tía carnal de esa niñita que nunca olvidó a su salvador. Me honra llevar en mis venas sangre de uno de los héroes anónimos de esa campaña, conquista o reconquista como quiera llamársela. Su acto de arrojo me permite perdonarle haber perdido todo Mar del Plata al juego. Desde todo punto de vista: evolución nacional, economía, situación social argentina, no puedo imaginar hecho más decisivo. Sólo después de la Conquista del Desierto comenzó la afluencia de inmigrantes a nuestra tierra. No se trató tampoco de una matanza sin sentido, pues muchos indios adoptaron la civilización y se alistaron en el Ejército Argentino. Para consolidar la obra de nuestros próceres de la Independencia era indispensanble la Campaña del Desierto; gracias a ella se afirmó nuestra nacionalidad.

39

Pensamos de acuerdo con la burguesía

Una entrevista a Silvina Bullrich ineludiblemente margina el estilo corriente. A su calidad de escritora suma un temperamento y una posición ante la vida que la transforman, inexorablemente, en un personaje de literatura. Frente a ellos los "tabúes", hipocresías y cinismos de un ámbito conformista quedan hecho trizas. Es, por lo tanto, una mujer y una escritora entregada a lo auténtico, sin concesiones a los intereses y convencionalismos de los que supeditan sus actos al "qué dirán". LA CAPITAL la entrevistó orientando el diálogo hacia sus singulares rasgos humanos, y por ende las respuestas hacen tabla rasa con el eufemismo, el sofisma y el circunloquio.

Personalidad

—*¿Usted es una iconoclasta?*

—Me han considerado siempre una iconoclasta, creo haberlo sido en mi juventud, pero poco a poco la gente cambia y se rebela menos contra el orden imperante. George Sand decía al final de su vida "El burgués es el que tiene razón", o sea que contradecía todas sus actitudes juveniles.

—*O sea que usted ahora sigue los lineamientos del orden imperante.*

—Ahora me doy cuenta de que, inexorablemente, el joven quiere abrirse su propio camino, pero poco a poco estas bifurcaciones coinciden con las de sus padres, que anteriormente consideró tan distintas.

La Burguesía

—*Una de sus principales reflexiones se refiere a la burguesía. ¿Tiene usted desdén por ella, reprueba determinados aspectos del desenvolvimiento burgués?*

—Considero que todos somos en gran parte burgueses, pero pienso como Flaubert: "Burgués es todo aquel que piensa con bajeza". Ésa es la parte de la burguesía que no me gusta, la que pone los valores materiales por encima de los valores intelectuales y espirituales.

—*Sin embargo usted tiene un origen y una formación burguesa...*

—No tanto como creen. Mi padre fue un gran médico, profesor de clínica, decano de la Facultad de Medicina de Buenos Aires, fundador de la Asistencia Social al Cardíaco, y poseedor de una valiosa colección de cuadros que reunió con dificultad.

No era un hombre rico, no pertenecemos a la rama de los rematadores, que eran primos de mi padre.

Moral Sexual

—*Al reprobar usted el énfasis que otorgan sectores de la sociedad a la moral sexual, anteponiéndola a hechos, problemas y valores de más importancia, ¿qué quiere significar?*

—Creo que es bastante claro. Considero que el sexo no es el único pecado, ni una relación sexual es lo más grave que pueda cometer una persona dado que como digo en "Mis Memorias" es el único pecado que puede convertirse en sacramento. Lo esencial es no hacer daño al prójimo.

—*¿Ese desvelo o énfasis por la norma sexual, por el "qué dirán", proviene de la herencia hispana?*

—En nuestro país, sin ninguna duda, dado que no tiene la misma importancia en Francia ni en los países nórdicos ni en los anglosajones. Lo único que no apruebo es la homosexualidad y el descaro con el que se está llevando a cabo actualmente.

Algo singular

—Hace poco, según se difundió, la Sociedad de Escritores de la Provincia de Buenos Aires, invitó a incorporarse a ella al boxeador Palma. Sin subestimar la afición que tenga o tiene por los versos ese cultor del arte de los puños, ¿no cree que esa invitación es exagerada?

—A mí me parece un disparate, y le confieso que lo ignoraba.

"En este caso me correspondería preguntar qué razones impulsó a la entidad a invitar al boxeador a incorporarse a ella. Dejémoslo así, mi opinión está dada.

Más singular aún

—Tengo conocimiento personal de que usted es descendiente de uno de los fundadores de Mar del Plata, José Coelho de Meyrelles, y sin embargo poco o nada se ha dicho de ese parentesco.

—Fue el primer poblador de Mar del Plata, junto con un grupo de portugueses, instalaron los primeros saladeros. Poseía todo Mar del Plata, desde Mar Chiquita, hasta donde está el hotel Nogaró. Pero envió a su único hijo, mi abuelo, a educarse en la Universidad de Coimbra, Portugal, cuando el joven volvió no quiso saber nada con "ese desierto" y fue a instalarse a Buenos Aires, donde se casó con Rosalía Torres, mi abuela. Mi madre se llamaba María Laura Meyrelles. Agregaré que mi bisabuelo perdió en el juego gran parte de esas extensiones de tierras y terminó vendiendo todo a los que luego fundarían la ciudad.

El mejor libro

—¿Cuál es su obra que considera más lograda, que más le satisface?

—Naturalmente, *Mis Memorias*, porque en ella he puesto el resumen de toda mi vida, e incluso hablo de mis antepasados, de mis padres, de mis hermanas, y de mi obra literaria. Por supuesto, también de mis viajes y de mis amores, de todo lo fundamental en una vida humana.

—Dada su sensibilidad y demás calidades, seguramente usted amó mucho e intensamente. ¿Quedó con marcas en el corazón o sólo con difusos recuerdos?

—Me casé dos veces, enviudé de mi segundo marido a los cuatro años de casada y para mí fue un golpe terrible. Pero creo que es mejor haber sufrido que no haber conocido el amor. Es importante haber sido amada y haber sabido amar.

El señor Borges

—No hace mucho en Mar del Plata, el locutor y animador Carrizo dijo de Borges que "lo odian los de River, los de Boca, los peronistas, los antiperonistas, etcétera". ¿Usted en qué fila se ubica, en la de Borges o en la de los que lo reprueban?

—Yo me ubico en la fila de Borges pues lo considero un escritor admirable. No creo que lo odien sino que por lo general el éxito despierta envidia, y es lamentable para el país que no le hayan otorgado el Premio Nobel.

—No obstante la obra, y las declaraciones de Borges, parecerían ubicarlo en una posición distinta a la de los intereses populares y nacionales.

—Es un error. A Borges le divierte ironizar y escandalizar, y los argentinos tenemos poco sentido del humor. Por otra parte, salvo en una entrevista como ésta, casi todas las opiniones que nos prestan a los escritores, han sido completamente falseadas y no tienen la menor relación con nuestras declaraciones reales.

Índice